LOS FUTBOLÍSIMOS

EL MISTERIO
DEL DÍA DE LOS INOCENTES

Roberto Santiago

Ilustraciones de Enrique Lorenzo

LITERATURA**SM**•COM

Primera edición: junio de 2017
Segunda edición: agosto de 2017

Gerencia editorial: Gabriel Brandariz
Coordinación editorial: Berta Márquez
Coordinación gráfica: Lara Peces

Ilustraciones: Enrique Lorenzo
Asistente de color: Santiago Lorenzo

© del texto: Roberto Santiago, 2017
© de las ilustraciones: Enrique Lorenzo, 2017
© Ediciones SM, 2017
    Impresores, 2
    Parque Empresarial Prado del Espino
    28660 Boadilla del Monte (Madrid)
    www.grupo-sm.com

ATENCIÓN AL CLIENTE
Tel.: 902 121 323 / 912 080 403
e-mail: clientes@grupo-sm.com

ISBN: 978-84-675-9197-2
Depósito legal: M-11979-2017
Impreso en la UE / Printed in EU

1

La nieve cubre completamente el campo de fútbol.

Resoplo y sale vaho de mi boca.

Hace muchísimo frío.

Todos los jugadores llevamos guantes y mallas negras debajo de los pantalones.

El partido está a punto de acabar.

Corro por la banda.

A trompicones.

El balón de color naranja vuela...

¡Y llega hasta mis pies!

Se queda allí clavado.

Justo delante de mí.

Doy un paso y mi bota se hunde en la nieve.

Cuesta muchísimo avanzar.

Puedo oír los gritos en la grada.

−¡Vamos, corre!

−¡Venga, ánimo!

−¡Adelante, Pakete, que no se diga!

Pakete soy yo.

En realidad me llamo Francisco, o Paco, aunque todos me llaman Pakete desde que fallé cinco penaltis seguidos en la Liga Intercentros.

Trato de empujar el balón.

Pero resbalo.

Y caigo al suelo de bruces.

Puedo sentir la nieve en mi boca.

En mi nariz.

−¡Vamos, Pakete, tú puedes! −exclama Felipe desde la banda, moviendo mucho los brazos.

Felipe es nuestro entrenador.

Da saltos delante del banquillo.

−¡Árbitro, ayuda al muchacho a levantarse! −grita−. ¿No ves que con tanta nieve no puede ni moverse?

−No digas tonterías −le corta Alicia, que está a su lado−. ¿Pero cómo va a ayudar el árbitro a un jugador? ¡Venga, chicos! ¡Arriba, Pakete!

Alicia también es nuestra entrenadora.

Que yo sepa, somos el único equipo del mundo que tiene dos entrenadores.

—¡Queda menos de un minuto! —continúa Alicia, desesperada, mirándome—. ¡Por favor, levanta, tú puedes!

Hemos luchado mucho para llegar hasta aquí.

Y casi no hay tiempo.

Y es un partido muy importante.

Y...

¡Tengo que conseguirlo!

Apoyo las manos en el suelo.

Miro el marcador.

Cuarenta y ocho segundos para terminar el partido.

47.

46.

Me pongo en pie.

En ese preciso instante llega un defensa del equipo rival: el número 5, un moreno enorme que debe tener por lo menos doce o trece años. No sé cómo le dejan jugar en la liga escolar.

Se lanza a por el balón.

A lo bestia.

¡Se va a llevar por delante la pelota, y a mí también!

Lo tengo casi encima.

No puedo hacer nada por evitarlo.

Aparto la vista y me preparo para el impacto que estoy a punto de recibir.

Se escucha un «Ooooooooooooooooooooooh» en la grada.

No he recibido ningún golpe.

¿Qué ha pasado?

Me giro.

Y lo que veo me deja atónito.

El defensa se ha tirado con tanta fuerza que...

Que...

¡Que se ha quedado clavado en la nieve!

36.

35.

34.

Aprovecho para golpear el balón y seguir adelante.

Puedo hacerlo.

Tengo que salvar al equipo.

Dejo atrás al número 5.

Y enfilo la portería.

Los aplausos y los gritos van en aumento.

Tengo delante otros dos defensas rivales.

Y el portero, que va vestido de naranja, igual que el balón.

–¡Aquí, Pakete!

Por el otro extremo aparece Helena con hache.

Mi compañera de equipo.

Me hace señas para que le pase la pelota a la otra banda.

Calculo las posibilidades.

De reojo, veo que también viene mi Toni corriendo por el centro, seguido de otro jugador del equipo contrario.

29.

28.

27.

¿Qué hacer?

¿Intento un regate?

¿Un pase?

Solo tengo una oportunidad.

En condiciones normales sería muy difícil.

Con el césped cubierto de nieve, es casi imposible.

Decido avanzar hacia el área.

Aunque las líneas del campo han desaparecido completamente.

Cada paso sobre la nieve se hace lento y pesado.

Los dos defensas corren hacia mí.

Helena está sola en la otra punta.

Tengo que pasarle el balón.

Si le doy de rosca, tal vez ella pueda rematar de cabeza. O con el pie. O como sea.

21.

20.

19.

–¡Vaaaaaaaaaaaaaaaaaaamos, Pakete! –grita Alicia desde el banquillo.

Estoy a punto de golpear el balón.

Cuando...

¡ZAS!

Un bolazo de nieve me impacta en la cabeza.

Y a continuación...

¡ZAS!

Otro bolazo.

¿Quién ha sido?

¿Los defensas?

¿El portero?

–¡He sido yo! ¿Qué pasa? –exclama alguien unos metros por detrás.

Me giro y veo a Toni.

¡Ha sido él!

¡Mi propio compañero de equipo!

–¡Pásame el balón de una vez, atontado! –me grita–. ¡Solo yo soy capaz de meter gol!

Y me lanza otro bolazo de nieve.

¡ZAS!

Toni es el mejor del equipo y el máximo goleador, pero también es un chulito y un chupón, y esta vez se ha pasado.

10.

9.

8.

El partido está a punto de acabar.

No queda tiempo.

¡Y mi propio compañero se dedica a tirarme bolas de nieve!

Uno de los defensas rivales aprovecha y llega a mi altura.

Se tira al suelo.

Y me golpea la pierna.

Siento un crujido en el tobillo.

¡CRASH!

Me ha dolido tanto que ni siquiera grito.

Caigo al suelo.

Y me llevo las dos manos a la pierna.

No puedo hacer nada.

Ni avanzar, ni chutar, ni pasar el balón a Helena, ni siquiera a Toni.

Estoy tirado sobre la nieve.

Siento mucho calor en el tobillo.

El árbitro llega corriendo.

Y hace sonar el silbato.

Piiiiiiiiiiiiiiiiiiiiiiiiiiiiiiiiiiii.

¿Qué ha pitado?

¿Falta?

¿El final del partido?

Escucho gritos y protestas a mi alrededor.

Sigo en el suelo.

Tiritando.

La nieve está muy fría.

Levanto la vista hacia el marcador.

3.

2.

1.

Y...

Y será mejor que empiece por el principio.

Unas horas antes.

Esa misma mañana.

Exactamente a las siete horas y cuarenta y cuatro minutos y diez segundos.

Tirorirorirorí.

Tirorirorirorí.

Tirorirorirorí.

La alarma del despertador sonó a las siete horas y cuarenta y cuatro minutos y diez segundos.

Ni un segundo antes ni uno después.

Es una manía que tengo.

Siete, porque es el número que llevo en la camiseta del equipo.

Cuarenta y cuatro, porque son los goles que he metido en toda mi vida en partidos oficiales (sí, los llevo contados).

Y diez, porque son las ligas de fútbol que ha ganado mi equipo favorito: el Atlético de Madrid.

Si meto más goles, o el Atleti gana más ligas, tendré que cambiar la hora del despertador.

Tiroriroriroro.

Tiroriroriroro.

Vale, vale, ya voy.

Con los ojos cerrados, alargué la mano y lo apagué de un golpe.

Era muy temprano.

Y hacía mucho frío.

Me subí la colcha y la manta hasta el cuello.

Me encanta quedarme dentro de la cama un rato después de oír la alarma, sobre todo en invierno cuando no hay colegio.

Si por mí fuera, me quedaría metido en la cama todo el día.

Pero no podía.

Aunque estábamos en vacaciones, tenía que hacer muchas cosas.

Además, a las ocho en punto de la mañana ponían un capítulo nuevo de mi serie de televisión favorita: *Los piratas fantasmas*.

Algunos se creen que es una serie para niños pequeños porque es de dibujos animados, pero los que piensan eso no tienen ni idea. Yo tengo once años y sé muy bien de qué hablo: *Los piratas fantasmas* es la mejor serie que se ha hecho

nunca. Y la más terrorífica también. Muchas veces ponen capítulos repetidos. Pero los domingos por la mañana... ¡capítulo de estreno!

Y ese día era domingo.

Me desperecé.

Estiré los brazos y las piernas.

Sin abrir todavía los ojos, hice un repaso mental por las cosas que tenía que hacer después de ver el capítulo y desayunar.

Deberes de matemáticas.

Deberes de ciencias.

Deberes de lengua.

Clase de natación.

Y de remate, el cumpleaños de mi padre.

Buffffff... Menudo panorama.

Seguramente vendrían a casa a felicitarle mis tías y los vecinos y un montón de gente.

Mi padre es policía municipal y conoce mucha gente y se lleva bien con todos.

Me entraron ganas de taparme la cabeza con la manta y quedarme ahí dentro.

Pero no podía hacerlo.

Tenía que ponerme en marcha.

Levantarme.

Y bajar a desayunar.

Los piratas fantasmas me estaban esperando.

Me dije: «Venga, adelante».

Vamos.

Uno.

Dos.

¡Y tres!

Por fin, abrí los ojos.

¿Eh?

Pero...

¿Qué era eso?

Había algo en mi habitación.

Una especie de figura de color blanco muy extraña.

Delante de mi cama.

Mirándome.

Con la luz apagada, no podía distinguirla bien.

Un momento.

No era una figura.

Eran muchas más.

Las conté: cinco, seis, siete, ocho y nueve.

Tragué saliva.

Lo voy a repetir, por si alguien no lo ha entendido.

Estaba en mi cuarto.

Acababa de despertarme.

Era muy temprano.

¡Y había nueve extrañas figuras dentro de mi habitación!

No sé qué hacían allí.

Ni cómo habían entrado.

Ni qué querían.

Ni quiénes eran.

¡Ni siquiera sabía si eran humanas!

La habitación estaba en penumbra.

No podía distinguirlos entre las sombras.

Nunca me había ocurrido algo así.

A lo mejor era un sueño.

Me restregué los ojos con las manos para asegurarme de que realmente estaba sucediendo.

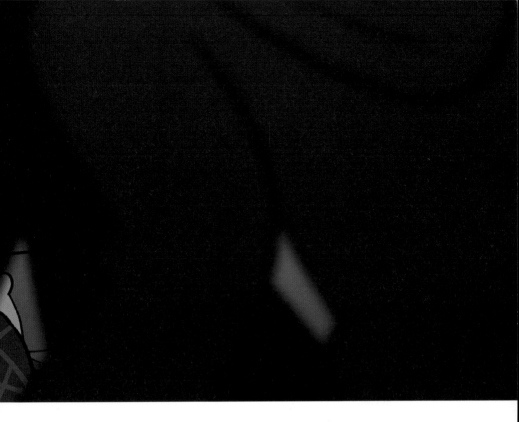

Y volví a abrirlos.

Allí seguían.

Las nueve figuras.

Dentro de mi cuarto.

Observándome.

Tal vez todo tenía una explicación lógica.

Tal vez eran...

Podían ser...

¡No se me ocurría nada que tuviera sentido!

Me vinieron a la cabeza los espectros de los piratas fantasmas.

Los muertos vivientes.

En la serie, podían atravesar paredes sin que nadie los viera.

Pensé en gritar.

Pedir auxilio.

Pero no me atreví a abrir la boca.

Estaba muerto de miedo.

Una de las figuras empezó a moverse.

Hacia mí.

Tenía forma humana.

Con su cabeza y los brazos y las piernas.

Pero no caminaba.

Parecía levitar sobre el suelo.

Lo prometo.

Era como una persona, pero sin rasgos, ni boca, ni ojos.

El resto de las figuras también avanzaban a su lado.

Respiré hondo.

Quería salir corriendo.

No tenía escapatoria.

Me encogí en la cama, asustadísimo.

Entonces...

¡La figura salió disparada hacia mí!

Ahora sí que grité:

–¡Aaaaaaaaaaaaaaaaaaaaaaaaaaaaaaaah!

Me tapé la cara con los dos brazos.

Sentí algo que caía sobre mi cuerpo.

Encima de la cama.

Era...

Era...

¡Cartón!

¡Una figura de cartón!

Escuché voces y risas a mi alrededor.

Y un grito:

—¡Inocenteeeeeeeeeeee!

Alguien abrió la persiana y el sol entró por la ventana.

Por fin pude verlos.

¡Las figuras misteriosas eran mis ocho compañeros del equipo de fútbol!

Los Futbolísimos.

Camuñas, Tomeo, Angustias, Ocho, Helena con hache, Anita, Marilyn y Toni.

Todos se partían de risa.

Y me señalaban.

Sobre la cama, encima de mí, estaba la novena figura: un enorme muñeco blanco de cartón.

—¡Feliz Día de los Inocentes! —exclamó Camuñas.

—¡Se creía que éramos zombis! —dijo Tomeo riéndose.

—¡Uuuuuuuuuuuuuuuh! ¡Hemos venido a llevarte con nosotros! —continuó Marilyn.

—Qué graciosos —murmuré.

–No te enfades, anda –dijo Helena con hache–. Hoy es veintiocho de diciembre; solo ha sido una inocentada.

–¿Pero quién os ha dejado entrar? –pregunté–. ¿Y a estas horas?

–Tu padre –dijo Camuñas–. Es un cachondo.

–Yo no quería hacerlo –aseguró Angustias–. Me han obligado.

–Obligado tampoco, que la idea de ponernos todos detrás del muñeco ha sido tuya –replicó Anita.

–Pero eso era porque me daba miedo –insistió Angustias.

Toni se acercó a mí, y de golpe... levantó la colcha.

–¡Se ha meado! –gritó.

Me señaló con las dos manos.

Por si no le habíamos oído, repitió:

–¡Pakete se ha meado de miedo!

Bajé la vista.

No había ninguna mancha en las sábanas.

Nada de nada.

Yo no me había meado.

Toni se lo estaba inventando.

–No, no –traté de explicar–. No me he meado, lo prometo... Mirad, por favor...

Pero daba igual lo que yo dijera.

Toni y los demás empezaron a bailar alrededor de la cama y gritaban a coro:

–¡Pakete, meón, saluda al campeón! ¡Pakete, meón, saluda al campeón!

Creo que me puse rojo.

De vergüenza.

Miré a Toni y me prometí que aquello no quedaría así.

El Día de los Inocentes no había hecho más que empezar.

Miré a través de la ventana de la cocina. Afuera estaba nevando.

–Lleva cayendo nieve desde muy temprano –dijo mi madre.

–Menos mal que hoy no tenemos partido –dije.

Eso es lo que yo creía.

Que iba a ser un día tranquilo y aburrido.

Nada más lejos de la realidad.

–¡Me encantan los cereales con chocolate! –exclamó Tomeo.

–Yo prefiero los que tienen fibra –dijo Angustias preocupado–. Me sientan mejor.

Me di la vuelta y vi a mis ocho compañeros en la cocina, cogiendo tazas y boles y otras cosas para el desayuno.

Tomeo sujetaba una caja gigante de cereales con las dos manos, como si fuera un tesoro. A su lado, Camuñas sostenía el bote de cacao. Anita cogió la miel. Marilyn se acercó a la tostadora y apretó un botón. Ocho sacó varios tarros de mermelada de un cajón.

–Tranquilos –anunció mi madre bajando cajas de una estantería–, hay cereales para todos... y tortas de aceite... y magdalenas... y hasta polvorones, si alguien quiere.

–¡Polvorones para desayunar! –dijo Tomeo con los ojos muy abiertos–. ¡Mola!

–Venga, de uno en uno –ordenó ella, tratando de poner un poco de orden.

Mientras todos se abalanzaban sobre la caja de polvorones, Helena se acercó a mí.

Para el que no lo sepa, Helena con hache es la chica más guapa de todo el colegio, y puede que de toda la sierra. Y también la que tiene los ojos más grandes. Y la que mejor juega al fútbol. Y muchas más cosas.

A mí ella no me gusta porque no me gusta ninguna chica del mundo.

Pero si me gustara alguna, a lo mejor sería Helena.

Una vez me dio un beso.

Pero eso pasó hace bastante tiempo.

Ahora no me interesan los besos ni las chicas.

Ni siquiera Helena con hache.

Y eso que es muy simpática y muy lista y muy guapa. Bueno, eso ya lo he dicho, creo que me estoy liando.

El caso es que, desde que nos dieron las vacaciones de Navidad, no la había visto.

Por lo visto, su padre había venido a verla desde muy lejos y los dos habían estado haciendo excursiones por la sierra y por otros sitios.

Los padres de Helena se separaron hace tiempo.

Ella vive con su madre, Marimar, aquí en el pueblo.

El padre se fue hace tres años a vivir a Argentina por trabajo. A la ciudad de Buenos Aires, que, como todo el mundo sabe, es la capital del país. Por lo visto le iba muy bien y tenía una empresa muy importante.

Allí se volvió a casar, con una mujer argentina que, al parecer, también tenía una hija de nuestra edad.

Así que Helena tenía una hermanastra en otro continente y ahora la iba a conocer en persona. Había venido con el padre a pasar las Navidades y conocer España.

«Hermanastra» es una palabra que, por lo menos a mí, me suena muy rara, pero que se utiliza cuando alguien es medio hermana o algo así. Otro lío.

Hacía mucho que Helena no veía a su padre, y estaba muy contenta y muy emocionada por la visita.

Todo eso me lo había contado ella misma en el colegio, justo antes de las vacaciones.

Después de eso, no había vuelto a saber nada.

Supongo que, después de tanto tiempo sin verle, habría estado muy ocupada con su padre y con su nueva hermanastra.

Miré a Helena y traté de sonreír.

Cuando estoy cerca de ella, me pongo muy nervioso.

–¿Qué tal con tu hermanastra? –pregunté.

Ella me miró sorprendida.

Se encogió de hombros.

–Bah –respondió.

Y enseguida cambió de tema.

–Espero que no te haya molestado la broma que te hemos hecho –dijo Helena.

–¿Eh? No, no, no, qué va –dije–. ¡Me ha encantado!

¿Por qué había dicho eso?

Me había parecido una broma horrible.

Me había dado muchísimo miedo.

No podía entender cómo se habían metido en mi habitación para reírse de mí.

–¿Estás seguro? –volvió a preguntar Helena.

Tenía otra oportunidad para decir la verdad.

Que no estaba bien meterse en casa de alguien cuando está durmiendo y asustarle de esa forma.

Que el Día de los Inocentes no me gustaba.

Y que Toni era un chulito y yo no comprendía cómo se podía llevar tan bien con él.

Pero, en lugar de eso, abrí la boca y dije:

–Segurísimo. A todo el mundo le gusta el Día de los Inocentes: es genial, la gente hace bromas... A mí también me encantan las bromas. Mira, mira...

Y cogí un polvorón, lo abrí y lo exploté contra mi frente.

Lo prometo.

¡Estrellé un polvorón contra mi frente!

Sin venir a cuento.

Helena me miró sin entender nada.

Yo mismo tampoco lo comprendía.

¿Por qué lo había hecho?

¿Por qué me ponía tan nervioso cuando tenía cerca a Helena con hache?

Era un misterio imposible de resolver.

Me quedé allí, delante de ella, con las migajas cayéndome por el rostro.

Por supuesto, Toni empezó a reírse nada más verme.

Una vez más, me señaló.

Y exclamó:

—¡Pakete, meón, cómete el polvorón!

Los demás también se rieron.

Y todos a coro gritaron:

—¡Pakete, meón, cómete el polvorón!

Supongo que me lo tenía merecido.

¿A quién se le ocurre hacer una cosa así?

—Es que me troncho —dijo Toni—. Primero se mea en la cama, y después no sabe ni comerse un polvorón... Eres un friki.

Y venga a gritar:

—¡Pakete, meón, cómete el polvorón!

Creo que podrían haber seguido así toda la mañana.

Riéndose de mí.

Coreando aquel estribillo.

Y comiéndose los polvorones y las demás cosas que había sacado mi madre.

Por suerte, pasó algo y dejaron de cantar.

Se oyó el pitido de un coche en la calle, delante de mi casa.

Fuera quien fuera, hizo sonar el claxon un montón de veces.

Camuñas se acercó a la ventana.

—¡Son Felipe y Alicia! —dijo sorprendido.

—¡Nos están haciendo señas! —añadió Marilyn—. ¡Vamos!

En un abrir y cerrar de ojos, todos agarraron sus abrigos y salieron disparados de la cocina.

La última en salir fue Helena.

Me miró desde la puerta.

—¿Por qué has hecho eso con el polvorón? —preguntó.

—No lo sé —respondí.

Volvió a oírse el pitido del coche.

—Venga, anda, que nos están esperando los entrenadores —dijo ella.

Sonrió.

Se dio media vuelta.

Y cruzó la puerta.

Cuando me quedé solo, agarré una servilleta y me limpié los restos del polvorón que aún me quedaban por la cara.

Mi madre me miró preocupada.

—¿Estás bien? —me preguntó.

—Más o menos —respondí.

Entonces, en la televisión de la cocina empezó a sonar una melodía que conocía perfectamente.

¡La sintonía de *Los piratas fantasmas*!

La mejor serie del mundo estaba empezando.

Un capítulo de estreno.

Después de lo que había ocurrido, tenía que tomar una decisión.

¿Qué hacer?

Salir afuera, bajo la nieve, donde estaban los entrenadores del equipo y mis compañeros, que se acababan de burlar de mí.

O quedarme allí dentro calentito y viendo mi serie favorita en la tele.

No era una decisión fácil.

No sé qué habría hecho otro en mi lugar.

Pero sé lo que hice yo.

–¡Increíble!

–¡Alucinante!

Los entrenadores estaban entusiasmados.

Bajaron del coche con una sonrisa de oreja a oreja.

Dando botes.

–¡Nos han invitado al Torneo del Día de los Inocentes! –exclamó Alicia.

–¡El Torneo del Día de los Inocentes! –repitió Felipe, que se plantó delante de nosotros con los brazos abiertos.

Era la primera vez en mi vida que oía hablar de ese torneo.

Ni siquiera sabía que existía hasta ese momento.

Todos mirábamos a nuestros entrenadores sin entender nada.

Estábamos delante de mi casa.

En mitad de la calle.

Bajo la nieve, que seguía cayendo.

Al final, yo también había salido.

A pesar de todo, quería estar con mis compañeros.

Hay dos cosas que me gustan más que *Los piratas fantasmas*:

El fútbol.

Y mis amigos.

Así que allí estaba.

A su lado.

Si Alicia y Felipe se habían presentado tan temprano en mi casa aquella mañana, debía tratarse de algo importante.

Los entrenadores nos miraban como si estuviera clarísimo.

—Perdón —dijo Marilyn, que es la capitana del equipo—, pero ¿qué torneo es ese?

—Qué pregunta —respondió Felipe—. Todos los años, la Liga Intercentros organiza un partido de fútbol especial el Día de los Inocentes.

—Es un torneo a un solo partido —aclaró Alicia.

—¿Y por qué nunca lo habíamos jugado? —preguntó ahora Camuñas.

—Muy sencillo: porque lo juegan los dos primeros equipos clasificados de la liga —contestó la entrenadora—. Y como nunca quedábamos entre los dos primeros, por eso no nos habíamos enterado.

La verdad es que nuestro equipo casi siempre suele quedar de los últimos.

–Y lo más fuerte –continuó Alicia–: ¡el que gana se lleva la Copa de los Inocentes! ¡Una copa de oro que entrega la Cofradía de los Santos Inocentes!

–¡Habéis oído bien: de oro! –dijo Felipe–. ¡Toma ya!

Los entrenadores chocaron las manos, cada vez más entusiasmados.

–¿Qué es una cofradía? –preguntó Tomeo.

–Pues una cofradía es como... –respondió Felipe–, como una organización...

–Como un club –añadió Alicia–, más o menos.

Anita, que además de ser la portera suplente es la que mejores notas saca del equipo, explicó:

–Una cofradía es una asociación de fieles a un santo. Por ejemplo, la Cofradía de los Santos Inocentes se ocupa de hacer actividades para que no se pierda la tradición del Día de los Inocentes. En España y en otros países, esta festividad se celebra el 28 de diciembre. Consiste en gastar bromas a los demás, que las llaman «inocentadas». La imagen que representa ese día es un muñeco de papel recortado. La cofradía hace varias actividades; entre otras cosas, el torneo de fútbol.

La miramos con la boca abierta.

–¿Siempre lo sabes todo? –le preguntó Toni.

–Casi siempre –respondió ella, orgullosa.

–Empollona.

–Ignorante.

–Listilla.

–Zoquete.

–Venga, no peleéis, que es un día muy emocionante –zanjó Felipe–. Pues eso, lo que estábamos diciendo: ¡que este año nos han invitado a jugar el torneo!

–¿Y cuándo es? –preguntó Ocho.

–Eso es lo mejor de todo –anunció Alicia–. ¡El torneo se juega esta tarde!

–¡Esta tarde, a las ocho! –confirmó Felipe.

–¿Hoy? ¿Así de repente? –preguntó Angustias, asustado.

–¿Y qué pasa? ¿Tienes algo que hacer? –le preguntó el entrenador.

–No –dijo él–, pero es que yo necesito saber las cosas con tiempo para hacerme a la idea.

–Pues esta vez ha sido una sorpresa para todos –dijo Felipe–. ¡Esta tarde vamos a jugar el Torneo del Día de los Inocentes! ¡Y lo vamos a ganar!

–¡Eso!

–¡A ganar la copa de oro!

–¡A por el torneo!

De pronto, todos empezaron a dar botes.

Y a exclamar:

–¡Oé, oé, oé!

Pero se habían olvidado de una cosa.

Levanté la mano.

Y alcé la voz:

–¿Puedo hacer una pregunta, por favor?

Todos se detuvieron.

Y me miraron, extrañados.

–¿Qué sucede? –dijo Felipe.

–Pues que hay algo que no entiendo. Si el torneo lo disputan los dos primeros clasificados de la liga, y nosotros vamos los penúltimos, ¿por qué nos han invitado a jugar?

Algunos murmuraron en voz baja.

–Ya está Pakete poniendo problemas –dijo Toni.

–No seas aguafiestas –añadió Camuñas.

–Pues yo creo que es una buena pregunta –replicó Helena.

–Gracias.

–No pasa nada. Haces muy bien en preguntar –intervino Alicia–. Nos han invitado por una razón muy sencilla: porque el segundo clasificado es el colegio Los Robles, y resulta que están incomunicados por la nieve. Como su pueblo está en lo alto de la montaña, se han cortado las carreteras.

–¡Pobrecillos! –dijo Toni sonriendo–. Tendremos que jugar nosotros en su lugar... ¡A por la copa de oro!

—¡A por la copa!

—¡A ganar!

Otra vez empezaron con la cantinela:

—¡Oé, oé, oé!

Miré a Helena, que yo creo que era la única que se había dado cuenta de lo que estaba pasando.

Y volví a subir la voz:

—No es por ser pesado, pero hay algo que no encaja.

—¿Qué pasa ahora? —preguntó Toni, dándose la vuelta hacia mí.

—Pues que hay otros muchos equipos en la liga que van por delante de nosotros. Perdonad que insista, pero ¿por qué nos han invitado justo a nosotros? ¿por qué han elegido al Soto Alto?

Felipe y Alicia intercambiaron una mirada.

—Bueno, la verdad es que no nos han elegido exactamente —respondió Felipe—. Primero han llamado a los catorce equipos que van por delante de nosotros, pero resulta que ninguno puede jugar.

—Porque no les da tiempo a organizarse para esta tarde —dijo Alicia.

—Por la nieve.

—O porque están fuera de vacaciones.

—O por otras razones —concluyó Felipe—. Y como ninguno de ellos puede, nos han invitado a nosotros. ¡Y hemos dicho que sí! ¡A por la copa de oro!

Antes de que empezaran otra vez a dar botes, me adelanté y pregunté rápidamente:

–¿Y no serán excusas porque nadie quiere jugar?

–Qué cosas tienes –contestó Alicia–. ¿Por qué no iban a querer jugar un torneo tan importante?

–Pues muy sencillo –repuse.

Miré a mis compañeros.

Y dije lo que todos estábamos pensando:

–Porque el rival es... el Cerrillo.

Ahora sí que se hizo el silencio.

Angustias emitió un suspiro.

Incluso Toni se quedó pálido y con la boca cerrada.

Repetí aquellas dos palabras que todos temíamos:

–El Cerrillo.

El Cerrillo Fútbol Club.

Posición actual en la Liga Intercentros: 1º.

Récord de partidos ganados en la primera vuelta: 17 victorias de 17 partidos jugados.

Récord de goles marcados en la primera vuelta del torneo: 120 goles en 17 partidos.

Récord de menos goles encajados en la primera vuelta: 11 goles en 17 partidos.

Y lo más importante de todo.

Récord de tarjetas rojas en la primera vuelta: 85 tarjetas rojas en 17 partidos.

¡85 tarjetas rojas!

Habían expulsado a más jugadores del Cerrillo que de todos los demás equipos juntos.

Jugaban sucio.

Hacían faltas todo el tiempo.

Empujaban.

Golpeaban.

Iban al límite.

Y los padres y las madres que acompañaban a los jugadores en cada partido los animaban a que jugaran así.

Eran conocidos como «los sucios del Cerrillo».

En cada partido que jugaban había peleas.

Expulsiones.

Gritos.

En algunos encuentros, incluso había tenido que intervenir la policía.

Nadie entendía cómo no los habían expulsado de la Liga Intercentros.

Les habían puesto sanciones y multas.

El comité de la liga les había dado varios ultimátums: si seguían así, los expulsarían del campeonato.

Pero les daba exactamente igual.

Seguían a lo suyo.

A las patadas.

Al juego sucio.

Y no les iba nada mal: estaban los primeros en la clasificación.

A bastante distancia de los segundos.

Antes eran un equipo normal y corriente, pero este curso habían cambiado completamente de estilo.

Nadie sabía la razón.

Seguían teniendo el mismo entrenador.

Y casi los mismos jugadores.

Sin embargo, su forma de jugar era completamente distinta.

Los sucios del Cerrillo.

Los primeros de la liga.

Esos eran nuestros rivales para el torneo de esa tarde.

Así que volví a hacer la misma pregunta:

–¿No será que los demás equipos se han inventado excusas porque no quieren jugar contra el Cerrillo?

–No creo... –dijo Felipe.

–No, no –dijo Alicia–, de ninguna manera... Además, este torneo es una gran oportunidad...

–A mí me viene muy mal jugar esta tarde –dijo Angustias.

–¡Pero si has dicho que no tenías nada que hacer!

–Ya, ya, pero me acabo de acordar ahora mismo de una cosa importantísima que tengo que hacer... Es una de esas cosas que te acuerdas de repente... Ayyyyyyy –suspiró Angustias.

–¿Y no podemos poner nosotros también una excusa y no jugar? –preguntó Tomeo–. Igual que han hecho los demás.

—Que no han puesto excusas –replicó Alicia–. Es que no pueden jugar de verdad.

—Eso habría que verlo.

—Pues yo quiero jugar –dijo Marilyn–. A mí no me asustan los sucios del Cerrillo.

—Ni a mí tampoco –dijo Toni.

—Ni a mí –añadió Helena.

—Ni a mí.

—A mí un poco sí que me asustan –reconoció Anita–. Pero si hay que jugar, se juega.

—Yo creo que deberíamos jugar –insistió Alicia–. Es un torneo de fútbol y habrá un árbitro. Y tenemos que demostrar que el deporte y el fútbol están por encima de la violencia...

—Eso díselo a los sucios del Cerrillo –dijo Camuñas.

—No los llaméis así. Es muy feo –protestó Felipe–. Tenemos que jugar. Además, el torneo se va a jugar en nuestro campo. El campo del Cerrillo está encharcado.

—No queremos obligar a nadie tampoco –dijo la entrenadora–. Venga, que levanten la mano los que quieran jugar el torneo.

De inmediato, Marilyn, Helena, Toni y Camuñas levantaron la mano.

A continuación, Tomeo, Anita y Ocho también levantaron la suya.

Incluso Felipe y Alicia habían levantado la mano.

Solo quedábamos Angustias y yo.

Todos se giraron hacia nosotros.

–¿Tú vas a levantar la mano o no? –me preguntó Angustias, temeroso.

–Supongo que sí –dije–. Qué remedio.

Angustias y yo nos miramos... y levantamos la mano al mismo tiempo, sin estar muy convencidos.

–¡A por la copa de oro! –exclamó Felipe.

–¡A por la copa! –respondimos todos.

Y empezamos a botar.

–¡Oé, oé, oé!

–Qué bien, ¿eh? –me dijo Helena.

–Sí, fenomenal –respondí.

En ese momento, oímos el sonido de una sirena acercándose.

Era un coche de la policía que venía por el medio de la calle.

Con mi padre al volante.

Llevaba las luces azules y rojas encendidas.

Y la sirena sonando.

Se detuvo justo delante de nosotros, en doble fila.

Mi padre bajó del coche con la cara muy seria.

Tenía las dos manos detrás de la espalda.

Nos miró fijamente.

–¿Qué ocurre, Emilio? –preguntó Alicia–. Nos estás asustando.

–¿No os habéis enterado? –dijo mi padre.

Todos negamos.

Y le miramos expectantes.

¿Qué habría pasado?

–¿Un accidente?

–¿Un robo?

–¿Un asesinato?

Mi padre negó con la cabeza.

Permaneció unos segundos en silencio.

Y después dijo:

–Me han dicho que estabais aquí todos, y he venido corriendo a contaros una cosa...

Ya no podía más.

¿Qué estaba ocurriendo?

–Lo que tengo que deciros es que...

Que lo diga ya, por favor.

Entonces, mi padre exclamó:

–¡Que es el Día de los Inocentes!

–¿¡Qué!?

Mi padre sacó las manos, que llevaba escondidas detrás de la espalda, y...

¡Comenzó a tirarnos bolas de nieve!

El primer bolazo le impactó a Alicia en el hombro.

Y el segundo, a Felipe en pleno rostro.

Mi padre se reía sin parar.

Todos nos quedamos con la boca abierta.

Tardamos unos segundos en reaccionar.

—¡Inocentes! —gritó mi padre—. ¿Qué os pensabais que había pasado?

Y más risas.

Y más bolazos.

Inmediatamente, todos nos agachamos y también respondimos con bolas de nieve.

Se armó una buena pelea en mitad de la calle.

La nieve volaba por todas partes.

—¡Me encanta el Día de los Inocentes! —gritaba mi padre mientras seguía lanzando bolazos—. ¡Y además, es mi cumpleaños!

—¡A por el cumpleañero! —exclamó Alicia.

Y todos empezamos a tirarle bolazos.

Mi padre trataba de defenderse.

Y se lo pasaba en grande.

—¡El mejor día del año! —gritaba.

—¡A quién se le ocurre cumplir años el Día de los Inocentes! —gritó Felipe.

Todos se reían.

Después la tomaron conmigo.

—¡A por el hijo del cumpleañero!

Y me tiraron un montón de bolazos.

Puede que yo fuera el único al que no le gustaba aquel día.

Me escondí detrás de un árbol para evitar los bolazos.

A mi lado llegó también Angustias.

—Qué guay el Día de los Inocentes, ¿eh?... —dijo.

Tenía restos de nieve por el pelo.

Y estaba temblando de frío.

Creo que, en el fondo, a él le gustaba tan poco como a mí.

Todo eso de tomar el pelo a la gente.

Y asustar a tus amigos.

Y gastar bromas sin venir a cuento.

No lo entiendo.

Lo que pasa es que no puedes decir que te parece horrible, porque los demás te llaman friki y se ríen de ti.

Así que me encogí de hombros y dije:

—Sí, qué guay.

Seguía cayendo la nieve del cielo y los bolazos continuaban.

Lo único que podía hacer si no quería quedarme fuera era correr, esconderme y lanzar bolas de nieve.

La batalla duró un buen rato.

Me asomé y vi cómo los entrenadores le lanzaban bolazos a mi padre y él se los devolvía.

Cómo Toni y Helena luchaban contra Tomeo y Camuñas.

Cómo Marilyn perseguía a Anita, la cual a su vez iba detrás de Ocho lanzándole bolazos.

Gritaban.

Y se reían.

Todos parecían pasarlo genial.

Ufffffffff...

Todos menos Angustias y yo.

A mí me encanta pasarlo bien.

Y jugar con mis amigos.

Y reírme.

Es la verdad.

Pero aquel sábado iba de mal en peor.

Primero me habían pegado un susto de muerte en la cama.

Luego había hecho el ridículo con el polvorón delante de Helena.

A continuación nos habían anunciado que teníamos que jugar un partido contra los sucios del Cerrillo.

Encima me había perdido el capítulo de estreno de *Los piratas fantasmas*.

Y para colmo, los bolazos.

Lo que no sabía en ese momento es que lo peor de aquel día estaba por llegar.

Radu introdujo una llave en la vieja cerradura.

La hizo girar una vez.

Luego, otra.

Otra más.

Por fin, el portón del patio se abrió.

El colegio estaba cerrado por vacaciones de Navidad.

Nadie podía imaginar que tendría que abrirse en pleno domingo.

Radu es el bedel del colegio. Se encarga de pintar las líneas del campo, guardar los balones y muchas más cosas.

Es un hombre muy grande y muy silencioso.

Había ido hasta el colegio solo para que pudiéramos entrar.

Dijo:

–Abierto.

Eso fue todo lo que dijo.

Entramos al colegio los nueve miembros del equipo, seguidos de Felipe y Alicia.

Íbamos a hacer un entrenamiento especial.

Para el torneo de esa tarde.

Cruzamos el patio en fila.

La nieve seguía cayendo.

Se suponía que estábamos allí solos.

Pero al doblar la esquina del edificio principal...

¡Descubrimos que en el campo de fútbol había un montón de gente!

Por lo menos, veinte o treinta personas con abrigos y botas.

Caminaban de un lado para otro.

Iban midiendo todo.

Tomando notas.

Haciendo marcas en el campo.

Nos quedamos con la boca abierta.

−¿Qué está pasando aquí? −preguntó Felipe.

Pero nadie respondió.

Radu parecía igual de sorprendido que nosotros.

−Yo no saber nada −dijo.

Avanzamos hacia el campo, intentando entender qué estaba ocurriendo.

Aquellos hombres y mujeres parecían perfectamente organizados.

Fueran quienes fueran, sabían muy bien lo que hacían.

En medio de todos, llamaba la atención un hombre que iba vestido de negro de los pies a la cabeza, incluyendo guantes, bufanda y gorro de lana.

Una nariz muy larga asomaba entre su ropa de abrigo.

Era el único que no se movía.

Estaba en el centro del campo.

Y los demás iban de un lado a otro, trabajando sin parar a su alrededor.

Él contemplaba el campo sin inmutarse.

De vez en cuando, se giraba hacia un lado.

Y parecía señalar con la nariz a los demás.

¿Qué hacían aquellas personas?

¿Por qué estaban midiendo el campo?

¿Quién era el hombre de negro?

–A lo mejor están preparando el torneo de esta tarde... –dijo Marilyn.

–¿Y cómo han entrado? –preguntó Alicia desconcertada–. ¿Quién más tiene las llaves del colegio?

–Solo una persona tener llaves aparte de mí –dijo Radu con su acento del este.

–¿Quién?

Pero no hubo tiempo para que Radu contestara.

Porque en ese preciso instante escuchamos una voz a nuestra espalda.

–¡Qué alegría veros!

Nos dimos todos la vuelta.

Allí estaba el director del colegio.

Esteban.

Con una enorme sonrisa.

–Director colegio también tener llaves –dijo Radu.

–Por supuesto que tengo las llaves del Soto Alto –corroboró Esteban–. Faltaría más.

Dio unos pasos hacia nosotros.

–Bueno, bueno, ya me he enterado de la invitación al Torneo del Día de los Inocentes –dijo–. Qué bien, qué buenas noticias.

–Sí, buenísimas –dije.

–Supongo que habréis venido a entrenar –continuó el director–. Me parece estupendo. Solo tenéis que esperar un momentito, que terminen estas personas.

–Pero Esteban –dijo Felipe–, ¿de qué va todo esto? ¿Quién es esta gente?

–¿Por qué están midiendo el campo de fútbol? –preguntó Alicia.

–¿Usted abrir colegio a extraños? –preguntó Radu.

–Huy, si parece que me estáis haciendo un interrogatorio. Ja, ja, ja –dijo Esteban.

—Muchas risas, pero no responde —dijo Marilyn.

La capitana tenía razón.

Esteban no dejaba de sonreír, mostrando su perfecta dentadura blanca.

—¿Quién es el señor de negro que está en el centro del campo? —preguntó Camuñas.

—Tiene la nariz más larga que he visto en mi vida —dijo Toni.

—Un respeto, niños —cortó Esteban—. Es el señor Villarroel, dueño de Empresas Villarroel; ya sabéis: aparcamientos, supermercados, grandes superficies... Es uno de los empresarios más importantes de toda la sierra.

—¿Y qué hace en nuestro campo? —preguntó una vez más Alicia.

—Pues el señor Villarroel ha venido a... hacernos un favor —dijo Esteban—. Eso es: un favor muy importante para el colegio Soto Alto.

Eso era lo mismo que no decir nada.

—¿Han venido a limpiar campo? —preguntó Radu.

—No exactamente.

—¿Van a poner adornos navideños para el partido de hoy?

—Hummmmm... Tampoco.

—¿Un videomarcador nuevo?

—No.

—¿Gradas móviles?

–¿Calefacción subterránea?

–¿Vestuarios más grandes?

–¡No, no y no! –explotó el director, acorralado por las preguntas–. Está bien. No quería que os enteraseis hasta mañana lunes, o mejor hasta la vuelta de las vacaciones, pero ya que estáis aquí... lo voy a decir sin más rodeos: Empresas Villarroel va a construir un aparcamiento en el campo de fútbol.

¿Qué?

¿Cómo?

¿Por qué?

–No saquéis conclusiones equivocadas –continuó el director–. Ya sabéis que el colegio tiene problemas muy graves de presupuesto desde hace mucho tiempo. Y la situación cada vez es más crítica. Tanto que incluso hemos estado a punto de tener que cerrar el colegio. Hasta que esta Navidad ha surgido la oportunidad que estábamos buscando: vender el campo de fútbol para que en su lugar construyan un aparcamiento.

No podía ser cierto.

Tal vez era una broma del Día de los Inocentes.

Seguro que se trataba de eso.

Miré a las personas que recorrían el campo. Seguían tomando notas. Y colocando marcas. Trabajando sin parar.

El director del colegio continuó hablando.

Creo que dijo algo de lo generoso que había sido Villarroel.

Del futuro aparcamiento con varias plantas.

De la gran inversión para el pueblo.

De que era la única posibilidad de salvar el colegio.

Y de no sé cuántas cosas más.

Pero yo ya no le escuchaba.

Solo podía fijarme en el señor Villarroel, plantado allí en medio, con su nariz desafiando la nieve que caía.

—Así que el torneo de esta tarde será el último partido de fútbol en el campo del Soto Alto —anunció Esteban.

Por favor, que sea una broma.

Una inocentada.

Felipe dijo con un hilo de voz:

—A ver, Esteban, que nos conocemos. Es el Día de los Inocentes. Y a lo mejor quieres gastarnos una broma con eso del aparcamiento. Vale, muy gracioso, genial. Nos lo hemos tragado. Pero ahora di la verdad: ¿a que todo es una broma?

Esteban negó.

—Mañana se firmará el contrato y empezarán las obras. No había otro remedio. Lo siento.

—Pero entonces, ¿por qué sonreías tanto cuando hemos llegado?

—Pues porque... estoy muy nervioso... Y cuando me pongo nervioso, me da por sonreír, qué quieres que te diga.

Aquello era un desastre.

El director había dejado de sonreír.

Y repetía:

—Lo siento. Lo siento mucho, de verdad, pero el colegio está en la ruina.

A pesar de sus palabras, Alicia no terminaba de creérselo.

Al fin y al cabo, era el Día de los Inocentes.

Y aquello era muy gordo.

La entrenadora insistió:

—Te lo voy a preguntar por última vez, Esteban: ¿es cierto que vais a vender el campo de fútbol para que construyan un aparcamiento?

Esteban nos miró a todos.

Levantó la palma de la mano.

Y dijo:

—Por desgracia, es la verdad. Lo prometo.

7

Hicimos el entrenamiento en completo silencio.

Nadie sabía qué decir.

Íbamos corriendo alrededor del campo.

En aquel sitio donde habíamos jugado tantos partidos.

Y tantos entrenamientos.

Y nos habían pasado tantas cosas.

En ese campo, una noche, Helena me había dado un beso.

Allí mismo.

Y lo más importante: en ese campo habíamos hecho el pacto de los Futbolísimos.

Un pacto secreto que solo conocíamos nosotros nueve.

El pacto de jugar siempre juntos y ayudarnos los unos a los otros, pasara lo que pasara.

¿Pero cómo íbamos a jugar ahora si no teníamos campo?

Seguimos corriendo durante un buen rato.

Había dejado de nevar.

Aunque seguía haciendo muchísimo frío.

Camuñas se puso a mi lado mientras corríamos.

El vaho salía de su boca cuando respiraba.

—¿Para qué vamos a jugar el partido, si van a cerrar el campo? —me preguntó.

—No lo sé.

—¿Tú crees que nos echarán de la liga por no tener campo?

—No lo sé.

Camuñas es el portero del equipo y además es mi mejor amigo.

Puede ser muy insistente cuando se le mete algo en la cabeza.

—Yo creo que no tiene ningún sentido jugar esta tarde contra el Cerrillo —dijo.

—Eso ya lo he dicho yo, y todos habéis votado a favor de jugar —protesté.

—Pero eso era antes de saber que van a vender el campo —explicó—. Si no tenemos campo, seguro que también cierran el equipo.

—A lo mejor podemos jugar la liga en otro campo —dije.

—¿En qué campo?

No tenía ni idea.

La verdad es que todos los colegios de la Liga Intercentros tenían su propio campo de fútbol.

–Di: ¿en qué campo? –insistió.

–No lo sé.

–Entonces, ¿por qué dices que a lo mejor podemos jugar en otro campo?

–¡No lo sé!

–Hoy parece que no sabes nada.

–Pues no preguntes tantas cosas.

–¿Y cómo voy a saber la respuesta si no pregunto?

–No lo sé.

–¿Lo ves? –exclamó–. Es que todo el rato respondes lo mismo: «No lo sé».

–Pues será porque no lo sé.

Aceleré el ritmo de la carrera y me alejé de él.

No me gustaba discutir con Camuñas.

Pero es que nada salía bien.

Menudo Día de los Inocentes.

En el fondo estaba de acuerdo con mi amigo.

Lo más probable era que nos echaran de la liga y que nos quedáramos sin equipo.

¿Para qué íbamos a jugar el torneo de esa tarde?

No tenía ningún sentido.

En los partidos contra el Cerrillo siempre había lesiones y peleas y todo era un desastre.

Si iban a cerrar el campo, que lo cerraran ya y se olvidaran de nosotros.

El entrenamiento continuó sin muchas ganas.

Ensayamos algunas jugadas de ataque.

Luego, de defensa.

Otra vez de ataque.

Y de defensa.

Para terminar, Alicia y Felipe nos reunieron al lado del banquillo. Insistieron en que aquello no iba a quedar así. Que iban a luchar

para que no acabaran con el equipo y para que siguiéramos jugando. Una decisión tan importante no podía tomarse sin consultar al AMPA. Seguro que habría una solución.

–De momento, esta tarde tenéis que demostrar que el equipo del Soto Alto merece la pena –dijo Alicia.

–Y que nunca nos rendimos –añadió Felipe.

Yo creo que lo dijeron sin mucho convencimiento.

Como si ellos mismos supieran que lo más probable era que aquel fuese nuestro último partido.

El último partido de los Futbolísimos.

Pufffffffffff...

Solo de pensarlo, me ponía malo.

Nos fuimos al vestuario muy desanimados, cabizbajos.

Los entrenadores se quedaron en el campo, hablando entre ellos.

Nosotros nueve bajamos las escaleras hacia los vestuarios.

Y justo al cruzar la puerta principal...

¡CHOF!

¡CHOF!

Y... ¡CHOF!

¡Un líquido pringoso nos cayó en la cabeza!

–¿Qué es esto? –preguntó Marilyn.

–¡Puajjjjjj! ¡Qué asco! –exclamó Tomeo.

Era un líquido de color amarillo.

Era... ¡pintura!

Se oyeron risas sobre nuestras cabezas.

Levantamos la vista.

Y en el piso de arriba, asomados al hueco de la escalera, aparecieron los que nos habían tirado la pintura:

¡Los jugadores del Cerrillo!

Diez niños y niñas con chándales amarillos que no paraban de reírse y de señalarnos.

–¡Inocentes! –gritó uno de ellos.

–¡Feliz Día de los Inocentes! –exclamó una niña sin parar de reír.

–¿Os ha gustado la broma? Ja, ja, ja, ja, ja, ja.

Nosotros estábamos totalmente cubiertos de pintura.

–¿Qué hacéis aquí? –preguntó Toni, amenazante.

–Hemos venido a entrenar para el torneo –contestó muy seguro uno de ellos, mientras bajaba unos escalones.

Era un niño moreno, grandullón, con cara de malas pulgas y una nariz muy afilada.

Por lo que se ve, era el día de las narices.

–Me llamo Romeo –dijo– y soy el capitán del Cerrillo. ¿Algún problema?

Nadie contestó.

–Pobrecillos –continuó él–. ¿Os ha sentado mal la broma? Ya nos habían dicho que no tenéis mucho sentido del humor por aquí. Pues ya veréis esta tarde en el partido... Os vamos a gastar un montón de bromas. Nosotros es que somos muy graciosos.

Al escucharle, sus compañeros estallaron a reír.

–¿Nos estás amenazando? –preguntó Toni, muy enfadado.

–Yo creo que no ha sido una amenaza tampoco –trató de intervenir Angustias.

Pero Romeo le ignoró.

Y miró desafiante a Toni.

–Si me buscas, me encuentras –dijo–. Ten cuidado.

Estaban a punto de saltar chispas entre los dos.

Helena, que también estaba cubierta de pintura, como todos nosotros, se acercó.

—Déjalo, Toni, no merece la pena —dijo ella—. Además, es el Día de los Inocentes. No pasa nada.

—Eso, déjalo, Toni —repitió Romeo sonriendo—. Haz caso a tu amiguita si no quieres que te pase algo peor.

Toni estaba furioso.

Miró al chico.

Le señaló.

Y le dijo:

—Ya veo por qué os llaman «los sucios del Cerrillo», narizotas.

—¿Qué has dicho? —gritó Romeo, fuera de sí—. ¿Qué has dicho? ¡Repítelo si te atreves!

No sabía muy bien a qué se refería.

Si a lo de los sucios.

O a lo de narizotas.

Pero, desde luego, no iba a preguntárselo.

Los dos se miraron a los ojos.

A punto de saltar.

Toni dio un paso adelante.

Escupió al suelo pintura amarilla que se le había metido en la boca.

Y en plan chulito repitió:

—He dicho que ya entiendo por qué todo el mundo os llama «los sucios del Cerrillo», narizotas.

—¡Te vas a enterar, chaval! —amenazó el chico.

Bajó los escalones de dos en dos, directo a por Toni.

La pelea estaba a punto de comenzar.

Pero en ese momento, una voz grave y profunda bramó desde el pasillo.

Parecía una voz de ultratumba:

—¡STOP! ¡QUIETOS TODOS!

Pensé que tal vez había sido Esteban.

O los entrenadores.

Pero no.

De entre la oscuridad del pasillo surgió una figura alargada, un hombre totalmente vestido de negro.

Con una larguísima nariz.

El señor Villarroel.

Sus pasos retumbaron mientras avanzaba hacia nosotros.

Se plantó delante de Toni y Romeo.

Se quitó el gorro de lana, dejando ver una enorme calva.

Y mirando al capitán del Cerrillo, dijo con su voz cavernosa:

—¡Te he dicho que no quiero peleas hoy!

—Pero, papá...

¿¡Papá!?

¿Villarroel era el padre de aquel chico?

Desde luego, se parecían.

Y no me refiero solo a la nariz.

Si te fijabas bien, los dos tenían un aire siniestro.

Aunque el padre era calvo y su nariz era mucho más grande.

—Ni pero ni nada —le cortó—. Ya les habéis hecho vuestra inocentada y os habéis reído. Ahora, salid al campo a entrenar. ¡Ya!

Romeo y el resto de componentes del Cerrillo le hicieron caso.

Bajaron sin rechistar.

Pasaron delante de nosotros.

Al cruzar junto a Toni, Romeo murmuró:

—Feliz Día de los Inocentes.

Y salieron al campo.

A continuación, aquel hombre nos miró con cara de asco, como si la pintura que teníamos encima fuera por nuestra culpa.

Y dijo:

—Qué pena.

Eso fue todo lo que dijo, y también él salió de allí.

Nos quedamos solos.

Empapados de pintura.

Nos iban a cerrar el campo.

Se habían reído de nosotros.

Nos habían amenazado.

Y puede que aquel día fuera el último de los Futbolísimos.

Me entraron ganas de llorar.

Pero me contuve.

Era lo que me faltaba: ponerme a llorar delante de mis compañeros.

–Vamos a los vestuarios a quitarnos la pintura –dijo Marilyn.

–Yo tengo pintura por todas partes –dijo Ocho.

–Y yo.

–¡Pues anda que yo!

Angustias, que tenía todo el pelo cubierto de amarillo, pasó a mi lado y me dijo en voz baja:

–No sé tú, pero yo esta tarde no pienso ir al partido.

—Cumpleaños feliiiiiz, cumpleaños feliiiiiz, te deseamos todos...

El salón de mi casa estaba lleno de gente cantando.

Amigos.

Vecinos.

Familiares.

Compañeros de trabajo.

Mi madre.

Mi hermano Víctor.

Y en el centro de todos, mi padre.

Escuchaba su canción de cumpleaños con una gran sonrisa.

Delante de él, una enorme tarta con velas encendidas.

–¡Y que cumplas muchos máaaaaaaas!

Sopló las velas y todos aplaudimos.

Pero algo falló.

No consiguió apagarlas todas.

Una vela se le resistía.

Continuó soplando con todas sus fuerzas, pero la vela seguía encendida.

–Venga, que no se diga, papá –dijo mi hermano.

Algunos de los invitados se reían y hacían comentarios:

–Esos pulmones, Emilio.

–Si es que se nota la edad.

–¿Quieres que te ayudemos?

Y mi padre, venga a soplar.

Pero la vela no se apagaba.

Yo creo que se estaba poniendo rojo del esfuerzo.

–Ay, Emilio, déjalo, a ver si te va a dar algo –intervino mi madre.

Mi padre hizo un gesto con la mano para que no se acercara nadie.

Quería apagar la vela, y quería hacerlo él.

Poco a poco, las risas fueron desapareciendo.

La situación era un poco incómoda.

Mi padre, con su uniforme de policía, soplando la última vela delante de todos, sin conseguir apagarla.

Se acercó mucho.

Y sopló más y más.

La llama se movía.

Pero nada.

No se apagaba.

Todo el mundo se quedó callado.

Observando el espectáculo.

Mi padre se estaba quedando sin aire.

Seguía y seguía intentándolo.

Hasta que de pronto...

Empezó a toser.

Parecía que se estaba ahogando.

–¡Agua, dadle agua! –pidió alguien.

–¡Apartaos, dejadle respirar!

–¡Ay, Emilio! –exclamó mi madre.

Mi padre se apoyó en la mesa con las dos manos, ante la atenta mirada de todos. Estuvo tosiendo un buen rato.

Levantó los brazos con dificultad y, poco a poco, fue recuperando su color.

Le dieron un poco de agua.

Y empezó a respirar con normalidad.

–Qué momento más tonto –dijo.

–¿Estás bien, papá? –pregunté.

–Sí, sí. No os preocupéis... Vaya con la velita...

Echó un vistazo a la tarta.

La vela seguía allí en medio.

Encendida.

Víctor dio un paso al frente.

—¿Te puedo decir una cosa, papá? —dijo mi hermano.

—Claro, claro.

Víctor cogió la vela y la levantó con dos dedos.

—Pues que esta vela de cumpleaños... ¡es de mentira!

Y empezó a reírse.

—¿Eh?

—¡Inocenteeeeee!

Mi hermano movió la vela arriba y abajo, y la llama siempre permanecía encendida.

—¡La he comprado en la tienda de artículos de broma!

Varios de los presentes abrieron la boca, sorprendidos.

Mi hermano no dejaba de agitar la vela y de reírse.

—¡Has picado! —dijo—. ¡Inocente! ¡Inocente!

Algunos aplaudieron entre risas.

—Sí que he picado, sí —respondió mi padre tratando de sonreír, aunque todavía le costaba un poco respirar.

—Pero, Víctor, ten cuidado con estas cosas —pidió mi madre—. Has estado a punto de ahogar a tu padre con la bromita.

—No le regañes, mujer —dijo mi padre—, que es el Día de los Inocentes. Anda, ven aquí y dame un abrazo, que estoy muy orgulloso de ti, hijo mío.

Mi hermano Víctor tiene catorce años y está en una edad muy complicada que se llama adolescencia y casi siempre protesta por todo. A mí me llama «enano» y me da collejas siempre que puede, y cuando se cruza conmigo en el centro comercial, muchas veces hace como que no me conoce. Les ha prohibido a mis padres que le acompañen o que le recojan en el instituto. Dice que ya es muy mayor para eso y que no quiere que sus amigos le vean con ellos.

No creo que le hiciera mucha gracia darle un abrazo a mi padre delante de tanta gente. Pero no podía negarse después de lo que había hecho.

Mi padre le agarró con fuerza y se abrazaron.

Todos aplaudieron.

–¡Felicidades!

–¡De tal palo, tal astilla!

–Muchas felicidades, papá –dijo Víctor, un poco incómodo con la situación–. Yo creo que ya puedes soltarme.

–Muchas gracias, hijo –respondió mi padre sin soltarle–. Se ve que has heredado mi espíritu bromista. Esta vez me has ganado, lo reconozco.

Después de unos segundos, al fin se soltaron.

Víctor estaba deseando separarse. Se dirigió al fondo del salón, como si quisiera huir de allí.

–Voy a la cocina a por algo de beber –dijo.

Y al darse la vuelta, nos dimos cuenta de que llevaba algo pegado en la espalda.

¡Un muñeco de papel blanco en el que ponía: «Inocente»!

Mi padre le señaló y muchos se rieron, intentando disimular.

Entre tanta gente, Víctor no se dio cuenta y salió por la puerta caminando como si tal cosa con el muñeco pegado en la espalda.

–Anda, que eres tú peor que los niños... –le dijo mi madre a mi padre.

Él se encogió de hombros.

Se ve que le encantaba aquel día.

Y que disfrutaba con las inocentadas.

La fiesta duró un buen rato.

Habían sacado la tarta a las dos en punto porque, según contaba siempre mi padre, era la hora en la que nació.

Pero había muchas más cosas de comer.

Pizzas.

Minihamburguesas.

Bocadillitos.

Croquetas.

Empanadillas.

Y todo estaba decorado con globos y con guirnaldas.

Los invitados estaban repartidos por la casa. En el salón, los pasillos, la cocina, el vestíbulo... Había gente por todas partes y todo el mundo parecía pasarlo muy bien.

Pero yo solo podía pensar en una cosa.

¡Iban a vender el campo de fútbol!

Y lo convertirían en un aparcamiento.

Y no tendríamos donde jugar los partidos.

Y lo más probable era que desapareciese el equipo.

No podía quitarme aquello de la cabeza.

Cuando se lo conté a mis padres, me dijeron que seguro que había una solución, que no me preocupara tanto.

Aunque en realidad lo que me querían decir era: «Ahora no tenemos tiempo para eso, que estamos en mitad de un cumpleaños con la casa llena de invitados».

Es verdad que el equipo del Soto Alto se había enfrentado a muchos problemas y que al final siempre habíamos encontrado la manera de salir adelante.

Pero, por primera vez, no veía ninguna salida.

El colegio tenía un problema muy grave de dinero, y la única solución para no cerrar era vender el campo de fútbol.

Por lo que había explicado Esteban, al día siguiente se firmarían todos los contratos con Empresas Villarroel.

Y empezarían las obras.

Y se acabó.

Ding-dong.

Ding-dong.

Alguien llamó al timbre.

No paraba de llegar gente todo el tiempo.

Me acerqué yo mismo a abrir.

Supuse que serían más amigos o compañeros de mi padre o vecinos.

Algunos habían venido también con sus hijos. Al caer en domingo, aquel año la fiesta de cumpleaños era multitudinaria.

Pero no.

Era alguien muy distinto.

Nada más abrir la puerta, reconocí sus enormes ojos mirándome.

Helena con hache.

–¡Hola! –dijo.

Y no venía sola.

A su lado había una niña pelirroja.

Con el pelo muy largo.

Con un montón de pecas.

Y los ojos verdes.

La niña dijo:

–Hola, soy Rosita. La hermanastra.

—Perdona que hayamos venido sin avisar —dijo Helena.

—Ha sido idea mía, pibe —añadió la hermanastra con su acento argentino.

Tenía el pelo muy rojo.

Y era casi tan guapa como Helena.

Quiero decir que eran muy diferentes, pero que a su manera Rosita también era muy guapa y eso.

Aunque ya lo he dicho y lo repito: a mí las chicas no me interesan lo más mínimo.

Ni Helena, ni Rosita, ni ninguna otra.

Me da igual que sean muy guapas y muy pelirrojas y tengan un acento tan bonito y me llamen «pibe».

Bueno, ya me estoy liando otra vez.

El caso es que no sé qué hacían allí.

Si normalmente me pongo nervioso cuando estoy cerca de Helena con hache, ahora que estaba delante de las dos me puse mucho más nervioso.

El doble o el triple por lo menos.

Me quedé mirándolas y traté de sonreír.

No sabía qué decir.

—¿Sabés hablar, o te comieron la lengua los ratones? —me preguntó Rosita.

—Los ratones, qué graciosa. Ja, ja, ja, ja, ja, ja, ja, ja —respondí.

No sé por qué me reía ni por qué había dicho eso.

Ella movió la cabeza y entró en la casa.

—¿Este es el famoso Pakete del que tanto hablás? —preguntó, cruzando la puerta.

¿Famoso?

¿Helena hablaba de mí?

Eso sí que era una novedad.

—¿Le has hablado de mí? —pregunté.

—No mucho —respondió Helena con hache, haciendo un gesto a su hermanastra para que se callara.

Pero Rosita no parecía ser de esas a las que les gusta tener la boca cerrada.

–¡Huy, «no mucho»! –replicó, y se giró hacia mí–. No para de hablar de vos: que si Pakete esto, que si Pakete lo otro... Si hasta me enseñó fotos en el celular...

–¿Ah, sí? –volví a preguntar, interesado.

–Eran unas fotos del equipo –se excusó Helena, un poco avergonzada.

–Te voy a decir la verdad –continuó Rosita mirándome–: en persona sos mucho más lindo que en foto.

–Gracias –dije, por decir algo.

Se había acercado mucho a mí.

Y yo no sabía cómo reaccionar.

–Che, ¿dónde es la fiesta?

–En el salón –contesté señalando hacia el fondo.

–¡Qué buena onda!

Sin más, Rosita cruzó la puerta y se adentró en la casa.

–En Buenos Aires los domingos siempre comemos asado –dijo ella mientras se alejaba por el pasillo–, con la mejor carne del mundo.

Y se perdió entre el resto de invitados.

Helena con hache y yo nos quedamos solos en la puerta.

–¿Le has enseñado fotos mías a tu hermanastra? –le pregunté interesado.

–Alguna suelta –dijo–, y además también salían otros del equipo, no te vayas a creer.

–Claro, claro.

Sonreí imaginando que Helena tenía fotos mías en su móvil.

–¿Te pasa algo? –dijo.

–No... no... Es que estoy muy... sorprendido... No sabía que ibas a venir al cumpleaños de mi padre... y mucho menos que ibas a venir con tu hermanastra... Parece muy simpática... y muy guapa...

–¿Te parece muy guapa?

Glups.

Ya había vuelto a meter la pata.

–Tampoco mucho, solo un poco –respondí–. Además es pelirroja... Ya sabes lo que quiero decir.

–No tengo ni idea.

La verdad es que yo tampoco.

¿Por qué le había dicho que Rosita era muy guapa?

¿Y qué tenía que ver que fuera pelirroja?

¿De qué estaba hablando?

Creo que me empecé a poner rojo.

Noté cómo me subía la temperatura del cuerpo.

Me entraron ganas de salir corriendo.

De hacer algo.

Cualquier cosa.

Menos mal que no había ningún polvorón a la vista.

Helena se dio cuenta y empezó a hablar de otra cosa.

—Hemos venido al cumpleaños porque mi padre se ha empe-
ñado —dijo—. Hace mucho que no ve a tu padre, y como antes
eran muy amigos...

—¿Y dónde está tu padre?

—Nos ha dejado en la puerta y se ha ido a aparcar.

—Genial.

—Sí, estupendo.

Otra vez nos quedamos los dos callados.

Mirándonos.

—¿Puedo entrar? —preguntó ella—. ¿O nos vamos a quedar en la
puerta toda la tarde?

—Qué tonto. Claro, pasa, por favor.

Helena entró en la casa.

—Yo voy a salir un momento... Tengo que... salir... —dije—. Enseguida vuelvo.

Crucé la puerta y salí a la calle a toda velocidad, antes de que
me hiciera más preguntas.

Antes de que quisiera saber adónde iba.

Porque la verdad...

¡No tenía ni idea!

Solo quería huir.

Escaparme.

Afuera hacía mucho frío.

Y yo no llevaba el abrigo puesto.

Di unos pasos.

Aún estaba atacado de los nervios.

Me aseguré de que no había nadie a la vista.

Y aprovechando que estaba solo, pegué un grito:

—¡Aaaaaaaaaaaaaaaaaah!

Y luego, otro:

—¡Aaaaaaaaaaaaaaaaaag!

—Francisco, ¿eres tú?

Me giré.

Y delante de mí apareció un hombre con un bigote gigantesco.

A primera vista no le reconocí.

—Soy Bernardo —dijo—, el padre de Helena. ¿Ya no te acuerdas de mí?

—Sí, sí, perdón —contesté—. ¿Cómo está, señor Bernardo?

—Yo, muy bien. Pero tú... ¿por qué gritabas de esa manera?

Buena pregunta.

Podría haberle dicho que era por su hija.

Que cada vez que estaba a su lado me ponía muy nervioso y metía la pata y me ponía rojo y no lo entendía.

Y encima ahora había venido con su otra hija, o hijastra, o como se diga, y aún había sido peor.

Pero en lugar de eso dije:

–Es por el frío. Grito porque tengo mucho frío.

Él sonrió.

–Pues eso tiene fácil solución... Vamos adentro.

–Bien pensado.

Y los dos nos encaminamos de nuevo a la casa.

–Siempre fuiste muy raro, Francisco.

–Si usted lo dice...

–¡Viejo granuja!

–¡Sinvergüenza!

–¡Canalla!

–¡Vividor!

Mi padre y el padre de Helena eran amigos de toda la vida.

Los dos se reían y se abrazaban y se decían esas cosas.

–Te he echado mucho de menos, Bernardo –dijo mi padre.

–Yo también –respondió él–, sobre todo en las comidas. Ja, ja, ja, ja, ja, ja...

Podía imaginármelos perfectamente a los dos comiendo y bebiendo sin parar.

Mi padre le acercó la bandeja con las empanadillas.

–Prueba estas –le dijo–. Son caseras, buenísimas. Las he hecho yo mismo.

–Trae acá, bribón.

Y empezaron a comer a dos carrillos.

Bernardo hablaba de su nueva vida en Argentina.

Y también de los viejos tiempos.

Miré hacia el otro extremo del salón.

Allí estaba Rosita, tomando un refresco y hablando con otros niños, que no sé muy bien ni quiénes eran. Ella se había hecho su amiga en un minuto.

También estaba con ellos Helena.

Parecía que se lo estaban pasando muy bien.

A mí nunca se me han dado bien las fiestas.

Ni tampoco conocer gente nueva.

Nunca sé qué hacer ni qué decir ni dónde ponerme ni con quién hablar.

A lo mejor es porque soy tímido, como dice mi madre.

O a lo mejor no tiene nada que ver con eso.

No lo sé.

Yo creo que deberían dar un manual para cumpleaños y celebraciones.

Me quedé un poco apartado, en una esquina, junto a la televisión.

Estaba encendida con el volumen bajo.

Ponían uno de esos programas navideños con famosos.

Iban haciendo conexiones en directo con personas muy cono-
cidas y contaban cómo pasaban el Día de los Inocentes, si habían hecho alguna broma, esas cosas.

Salió un cantante, y también una actriz, y luego una presenta-
dora que me sonaba pero que no sabía muy bien quién era.

Y justo a continuación...

Conectaron con un hospital de Madrid.

En la planta infantil apareció...

¡El Cholo Simeone!

En persona.

En vivo y en directo.

Diego Pablo Simeone, uno de los mejores jugadores y entrenadores de fútbol de todos los tiempos.

Había sido campeón de Liga y de Copa con el Atlético de Madrid... ¡Como jugador y como entrenador!

Solo había dos personas en toda la historia que habían logrado
algo así.

Una era Luis Aragonés.

Y otra, el Cholo Simeone.

Era mi ídolo.

No se portaba como una estrella.

Sino como una persona humilde.

Su filosofía era jugar en equipo.

Y permanecer siempre unidos.

Amaba el fútbol de verdad.

Me sabía de memoria toda su biografía.

Según su padre, la primera palabra que dijo cuando aprendió a hablar fue «GOL».

Al verlo en la tele, me animé un poco.

Allí estaba, repartiendo regalos a los niños hospitalizados.

En directo.

En ese preciso instante.

Quizá algún día, si tenía suerte, podría conocerle.

–¿Por qué no le escribes una carta?

–¿Eh?

Mi madre estaba a mi lado, mirando la televisión.

Repitió:

–¿Por qué no le escribes?

–¿A quién?

–Al Cholo.

–¿Yo? ¿Y qué le voy a decir?

–Pues que eres del Atleti –insistió ella–, y que juegas al fútbol, y que eres su admirador. A lo mejor te contesta. ¿No te haría ilusión?

–Puf, seguro que recibe un montón de cartas cada día.

–Si no lo intentas, nunca lo sabrás.

Observé la televisión.

Allí seguía el Cholo, saludando a los niños del hospital.

Por un momento, me imaginé qué le podría decir en esa carta.

Le contaría que tenía un equipo de fútbol con mis amigos del colegio.

Que habíamos ganado algunos torneos.

Que ahora íbamos los penúltimos de la liga.

Y que a lo mejor era el último año que jugábamos.

Porque iban a vender el campo para construir un aparcamiento.

También le podría hablar del Atleti.

Y de lo mucho que me gustaba.

Le miré en la pantalla.

Dijo:

—Siempre tengo tiempo para ayudar a los niños que lo necesitan.

Eso estaba muy bien.

Pero fijo que le mandaban muchísimas cartas y mensajes de todo tipo.

Y tendría cosas más importantes que hacer que andar contestando una carta a un niño al que no conocía de nada.

Además, ni siquiera sabía adónde se la tendría que enviar.

Cortaron la conexión y apareció en pantalla una cantante de un grupo de rock.

Y ya está.

Se acabaron el hospital y el Cholo. Seguirían el programa con otros famosos, me imagino.

—Venga, anda, anímate y come algo —dijo mi madre—. Además, esta tarde tienes partido.

—No creo que vaya a jugar.

—¡Pero bueno! ¿Y eso? —preguntó ella, sorprendida—. ¿Por qué no vas a jugar, si se puede saber?

—Pues porque es una encerrona. El Cerrillo siempre la lía en los partidos, y ningún equipo quería jugar con ellos el torneo. Por eso nos han invitado. Y además, porque mañana van a cerrar el campo y parece que a nadie le importa. Y seguro que también cierran el equipo. Y todo es un desastre.

Ella me miró con los ojos muy abiertos.

—Me sorprende que digas eso. ¿Sabes cuál era el lema de Simeone?

—¿Cuál?

—Partido a partido —dijo ella, como si aquello fuera la clave de todo.

—¿Y eso qué significa?

—Pues que hay que ir paso a paso. Esta tarde tienes un partido importante con tu equipo. Eso es lo único que cuenta. Lo demás ya se verá.

—Pero el aparcamiento...

—Nada.

—Y el futuro de la liga...

—¡Pamplinas! —me cortó.

Y cuando mi madre dice «pamplinas», solo significa una cosa: que se acabó la conversación.

Me miró y dijo muy seria:

–Nadie te va a obligar. Tú decides. Espero que vayas esta tarde al partido. Por ti mismo. Por tu equipo. Y por el Cholo.

Me quedé allí, pensativo. Miré a mi alrededor. Me di cuenta de que Rosita me estaba observando desde el otro lado del salón.

Me sonrió.

Yo la saludé con la cabeza. No sé por qué me miraba así.

Justo en ese momento, mi hermano bajó de golpe la persiana del salón.

Y exclamó:

–¡Ha llegado la hora! ¡Tinieblas!

Todas las luces se apagaron de inmediato.

Y la casa quedó completamente a oscuras.

11

Otra tradición Del día de los Inocentes en mi casa.

¡Jugar a las tinieblas!

A mi padre le encanta.

—Si es que eres como un niño, Emilio —le repetía siempre mi madre.

Pero a él le daba igual.

Era su cumpleaños.

Y le gustaban las tinieblas.

—¡Es el mejor juego del mundo! —decía.

Por lo visto, en su familia siempre jugaban cuando era niño.

Le traía muy buenos recuerdos.

Así que todos los años jugábamos en el día de su cumpleaños.

Allí estábamos.

A oscuras.

Intentando escondernos.

Y no hacer ruido.

Habían bajado las persianas.

Y echado las cortinas.

Prácticamente no entraba ni un rayo de luz del exterior.

Y, por supuesto, habían apagado todas las luces.

Todos corrimos a escondernos.

Mi padre exclamó:

—¡Escondeos bien, que soy infalible!

Se oyeron algunos golpes.

Y risas.

Para el que no lo conozca, el juego de las tinieblas es muy sencillo.

Consiste en que se apagan las luces y todo el mundo se esconde.

Menos una persona.

En este caso, mi padre.

Es el que tiene que descubrir a los demás en la oscuridad.

Puede caminar, hablar, moverse, lo que sea.

Si encuentra a alguien, tiene que adivinar quién es.

Solo con el tacto.

Si lo adivina, a partir de ese momento es el nuevo quien tiene que buscar a los demás.

Y así hasta el infinito.

Se escuchó un tropezón y un objeto golpeó el suelo.

—Casi me caigo. Ja, ja, ja, ja, ja, ja —dijo mi padre.

—Como rompas algo, te vas a acordar del jueguecito —respondió mi madre desde su escondite.

—Pero no hables, mujer —protestó mi padre—, que te voy a encontrar.

—Yo sí que te voy a encontrar...

Me fui moviendo por la pared.

Palpando poco a poco para no caerme.

Intentando alejarme de mi padre.

No quería que me pillara, ni ser yo el que tuviera que buscar a los demás.

Llegué hasta el marco de la puerta y lo toqué con las dos manos.

En ese momento, en la otra punta del salón, mi padre gritó:

—¡Te pillé!

No sé a quién habría encontrado.

Había un montón de invitados.

—Eres... eres...

Mi padre debía estar tocándole el pelo y la cara para reconocerle.

La persona que había encontrado seguía en silencio.

–Ya lo tengo –dijo mi padre–. Eres... ¡Eres Víctor!

–¡No! –respondió.

Se escuchó a mi hermano desde otra parte del salón:

–Anda, papá, que ya te vale. ¡Mira que confundir a otro con tu propio hijo!

Y más risas.

Mientras continuaba la búsqueda, yo me alejé por el pasillo.

Que yo sepa, no había ninguna norma que dijera dónde podías esconderte.

Avancé siempre pegado a la pared.

Caminando muy despacio.

Al fondo se oían algunas carreras y gritos y risas que venían del salón.

Me alejé bastante. Llegué muy cerca de la puerta de entrada, o eso creo.

Y me detuve.

Entonces escuché una voz que hablaba en susurros.

—Es que no te lo he podido contar hasta ahora, perdona —dijo—. Llevamos todas las Navidades con tu hermana y con tu madre a todas horas.

No es mi hermana —protestó otra vez—. Es mi hermanastra.

Eran Helena y su padre.

Hablando en voz baja.

Estaban muy cerca de la puerta.

Supongo que se imaginaban que nadie los oía.

Al principio me dio un poco de vergüenza. Era una conversación privada y no quería escuchar. Parecía que hablaban de algo importante. Pero me dio miedo moverme y hacer ruido.

Me quedé muy quieto.

Y contuve la respiración.

Ellos dos siguieron hablando entre susurros.

—Entonces, ¿te vendrías conmigo? —preguntó Bernardo.

—Pero, papá...

—Ya lo sé, cariño —dijo él—. Es que te echo tanto de menos... Y solo serían unos meses, para ver si te gusta.

—¿Y mamá qué opina? —preguntó ella.

—Mamá opina que le parece bien lo que tú decidas. Es algo muy importante. Llevas tres años viviendo con ella. Y a mí me encantaría que pasaras tiempo conmigo también, si tú quieres. Si no te gusta, te puedes volver en cualquier momento.

—¿Pero cómo me voy a ir ahora, a mitad de curso?

—En Argentina estamos en verano. El curso empieza en febrero. Sería el momento perfecto para que te vinieras allí a vivir. Un año

Tenía que estar equivocado.

¿Estaba escuchando bien?

¿Helena se iba a ir a Argentina?

¿A vivir?

Debía ser un error.

Noté que la respiración me iba mucho más deprisa.

Tuve ganas de intervenir.

Decir que no podía marcharse.

Que el pacto de los Futbolísimos era que siempre estaríamos juntos.

Para ayudarnos.

Y para jugar al fútbol.

Y para lo que fuera.

–Piénsalo, mi amor –insistió Bernardo–. Allí irías a un colegio maravilloso con un montón de campos de fútbol, y con una piscina enorme, y jugarías en una liga de fútbol de verdad. Y lo más importante: estaríamos juntos tú y yo.

–No lo sé, papá. Aquí están mis amigos. Y mi colegio. Y está mamá. ¿Por qué no te vuelves tú aquí? Como antes.

–No es tan sencillo –respondió él–. Mi trabajo ahora está en Buenos Aires. Y mi casa también. Te aseguro que allí serás muy feliz. Y podremos estar juntos. Es lo que más me gustaría en el mundo.

–No lo sé –repitió Helena.

–Dime al menos que lo pensarás.

Ahora sí que estuve a punto de abrir la boca:

«¡Di que no!».

«¡Di que no tienes nada que pensar!».

«¡No, no y mil veces no!».

Pero Helena dijo:

—Lo voy a pensar.

Puf.

¿Qué estaba pasando?

Aquel era el peor Día de los Inocentes de la historia.

Había empezado mal.

Y cada vez iba peor.

Nos cerraban el campo.

El equipo podía desaparecer.

Y ahora...

¿Helena se iba a vivir a Buenos Aires?

¿Qué más podía ocurrir?

—¡Te pillé!

Dos manos enormes me agarraron por detrás.

¡Mi padre!

Estaba tan atento a Helena y su padre que no le había oído llegar.

Me sujetó por un brazo y pasó la otra mano por el pelo.

—Esta vez sí que acierto, está chupado —dijo subiendo el tono de voz—. Sé perfectamente quién es: ¡mi hijo Francisco!

—Sí, papá, soy yo —admití.

Qué otra cosa podía hacer.

Ahora que me había descubierto, me tocaba a mí caminar por la casa en la oscuridad.

Con las manos por delante.

Y tratar de encontrar a alguien.

—¡Si es que soy un hacha! —exclamó mi padre.

12

DOY UN PASO
ADELANTE.

OTRO
MÁS.

Y OTRO.

BANG

¡VAYA SUSTO!
HE PISADO UN GLOBO
Y HA EXPLOTADO..

ENTONCES ESCUCHO UNA RISA MUY CERCA. NO ESTOY SEGURO, PERO CREO QUE ES HELENA.
JI JI JA JA JA
TENGO QUE ARRIESGARME.
ME DIRIJO HACIA LA RISA. AVANZO Y...
AHORA SÍ, ¡LA AGARRO!
LE TOCO LOS OJOS, LA NARIZ, LA BOCA... HUMMM... SÍ, ES ELLA.
¿HAS ENCONTRADO A ALGUIEN, ENANO?
la voz de Víctor
¡SÍ! CREO QUE ES...
ESTOY CASI SEGURO DE QUE ES... ES...

No me gustan los besos.

Nada.

De nada.

De nada.

No quiero saber nada más sobre ese tema.

Nunca.

No sé por qué Rosita me había dado un beso.

No lo entendía.

Y no quería volver a oír hablar del asunto.

Pero a la gente parece que le hizo mucha gracia.

Todos me daban palmaditas en los hombros y me revolvían el pelo.

—Vaya, vaya con el pequeño de la familia.

—Si es que ya estás hecho un hombretón, granuja.

—Tú sí que sabes jugar a las tinieblas, ¿eh?

Incluso mi hermano me guiñó un ojo.

—Bien hecho, enano —dijo.

A continuación, me pegó una colleja.

—Pero que no se te suba a la cabeza tampoco —añadió.

Y se partió de risa.

Hay cosas que no cambian.

Entonces alguien se puso delante de mí cortándome el paso.

Bernardo.

Se tocó el bigote muy serio y me señaló directamente.

—¡Tú! —dijo.

—¿Yo? —pregunté sin entender.

—¡Sí, tú! —exclamó—. ¡Has besado a mi hija Rosita!

—Esto... yo... bueno...

Más bien había sido al revés.

Había sido ella quien me había plantado un beso.

De repente.

Sin venir a cuento.

—Perdón —dije—, yo no quería...

Me agarró de los hombros y soltó:

–¡Si me parece muy bien, hombre! ¡No pasa nada! ¡Estáis en la edad!

–Si usted lo dice...

–Llámame de tú –bramó–, sobre todo ahora que vas a ser novio de mi hija.

¿¡Qué!?

¿Novio de Rosita?

¿Yo?

–¡Emilio, ven aquí! –gritó Bernardo llamando a mi padre–. ¡Vamos a celebrar que nuestros hijos van a ser novios!

¿Pero por qué decía eso?

¿Y por qué lo gritaba delante de todo el mundo?

Enseguida apareció mi padre.

—Mi hijo es un rompecorazones. Lo ha heredado de su padre. Ja, ja, ja, ja, ja, ja, ja –dijo.

Aquello iba de mal en peor.

Bernardo levantó su vaso.

—Brindemos por Francisco y Rosita –dijo.

—¡Por los novios del futuro!

No sabía dónde meterme.

Por suerte, mi padre sacó dos puros de la chaqueta y le dijo a Bernardo:

—Mira lo que me han regalado por mi cumpleaños. Vamos afuera a echar una caladita.

–Pero, Emilio –intervino mi madre, que pasaba por allí–. Sabes de sobra que el tabaco es malísimo, y además tú no fumas.

–Ya, ya, Juana –se excusó él–, pero esto no es tabaco. Son puros, que es muy distinto. ¡Un día es un día!

–No te preocupes, que solo vamos a encenderlos y enseguida los tiramos –añadió Bernardo.

Sin más, los dos se fueron tan contentos hacia la puerta.

Yo me di la vuelta.

Y me encontré de bruces con la última persona que quería ver en esos momentos.

Exacto.

Helena con hache estaba allí delante.

Mirándome fijamente.

No sé cuánto tiempo llevaría observándome.

–Parece que se te dan muy bien las tinieblas –dijo.

–Eh... sí... Bueno... yo no... o sea, que no es un juego que me guste demasiado...

¡No tenía ni idea de qué decir!

¡Igual que me pasaba siempre con ella!

¡O peor!

Acababa de besarme su hermanastra.

Delante de todos.

Ayyyyyyyyyyyyyyyyyyy...

Permanecimos un buen rato mirándonos sin decir nada.

Creo que los dos estábamos pensando lo mismo.

Me observaba con sus enormes ojos.

Ya no podía más.

Aquel silencio era horrible.

Abrí la boca y dije lo primero que me pasó por la cabeza:

–¿Vas a jugar el partido esta tarde?

Helena pareció muy sorprendida por aquella pregunta.

–¿Eso es todo lo que tienes que decir?

Claro que no.

Tenía muchas más cosas que decir.

Para empezar, quería explicarle que yo no había besado a su hermanastra.

Para continuar, que sabía lo que había estado hablando con su padre y que, por favor, no se fuera a vivir a Buenos Aires.

Y para terminar, que estaba muy asustado por si se acababa el equipo y los Futbolísimos y, sobre todo, por si se marchaba y no volvía a verla.

–Creo que... podría decir más cosas –dudé–, pero no sé muy bien cómo decirlas...

–No te preocupes. Ya se te ocurrirá –murmuró, y se dio media vuelta.

Mientras se alejaba me dijo:

–¡Ah!, y por supuesto que voy a jugar esta tarde. Yo nunca falto a un partido.

En ese momento se escuchó una nueva explosión.

¡BANG!

¿Otro globo?

No.

Todos señalaron hacia la ventana del salón.

A través del cristal podía verse a Bernardo con un puro en la boca... ¡que le había explotado!

¡Era un puro de mentira!

Otra broma del Día de los Inocentes.

Mi padre estaba a su lado riendo.

–¡Me parto! –decía mi padre–. ¡Cómo has picado! Ja, ja, ja, ja, ja, ja, ja, ja...

Pero entonces...

¡BANG!

A mi padre también le explotó su puro.

–Pero hombre, Emilio, si los puros los has traído tú –dijo Bernardo, extrañado–. ¿Cómo te lo enciendes si sabías que iba a explotar?

–Pues para que no sospecharas –respondió mi padre, como si fuera lo más normal del mundo.

Y los dos empezaron a reírse.

Igual que el resto de la gente que los miraba.

–¡Para que no sospechara! Ja, ja, ja, ja, ja, ja, ja, ja, ja, ja...

Tal vez algún día yo también le haga una broma a alguien.

No lo sé.

De momento, me conformaba con que no me hicieran más inocentadas aquel día.

—Tengo la solución para que no cierren el campo de fútbol.

La que había dicho eso era Rosita.

Había aparecido justo a mi lado.

¿Qué sabía ella del cierre de nuestro campo?

Di un paso atrás, desconfiado.

Por si acaso se le ocurría volver a darme un beso.

No quería arriesgarme.

—¿Qué solución?

Ella se echó el pelo atrás con una mano.

Bajó la voz.

Y dijo una sola palabra:

—Simeone.

@Simeone *Hola, Cholo! Perdona que te moleste. Me llamo Francisco y tengo once años. Soy tu admirador y tu fan número 1. Resulta que van a cerrar para siempre el campo donde juego con mi equipo de fútbol para construir un parking. Por favor, ven a ver nuestro último partido. Si tú vienes, a lo mejor no lo cierran. Es hoy, a las 8 de la tarde. En el colegio Soto Alto (en un pueblo que se llama Sevilla la Chica, muy cerca de Madrid). Ayúdanos! Muchas gracias!*

Rosita lo leyó.

Y exclamó:

–¡Groso!

–Perdona, ¿eso qué quiere decir? –pregunté.

—Groso significa... copado —respondió, y vio en mi cara que seguía sin enterarme—. Acá decís «genial». ¡Está genial!

El texto lo había escrito yo.

Rosita había escuchado a mi madre decir eso de que le escribiera una carta al Cholo Simeone.

Y estaba convencida de que era la solución para que no cerraran el campo.

—Si aparece alguien tan famoso, también llegará la prensa... ¡y se podrá parar la venta del campo!

—No lo entiendo —dije.

—Escuchá: una vez estuvieron por cerrar el campo de fútbol más famoso de Buenos Aires, la Bombonera. El club tenía deudas y querían venderlo para poner un centro comercial, ¿viste?

—¿Y qué pasó?

—Pasó que un día llegó al campo el mejor futbolista de todos los tiempos, Diego Armando Maradona, y dijo a los periodistas que aquello era una injusticia tremenda. Y al final no lo vendieron.

—¿Maradona?

—Ajá. El ayuntamiento puso la plata y todo se solucionó.

—Pero es que... el campo del Soto Alto no es famoso... —dije—. Y Simeone... pues por mucho que le mandemos un mensaje...

—Y dale, que no es un mensaje. Es un tuit.

—Lo que sea.

Estábamos en la cocina y mi madre estaba copiando el texto en su teléfono móvil. Para mandarlo desde su cuenta de Twitter a la del Cholo.

–A mí todo esto me parece muy buena idea –dijo ella–, pero hay que cortar el texto; no cabe.

–Si ya lo hemos cortado mucho –protesté.

–Ya, bueno, pues en Twitter el máximo son 140 caracteres –resopló mi madre–, y aquí hay... 464.

–¿Qué son caracteres? –pregunté.

–Pues letras –explicó Rosita–, y también los puntos, y las comas, y las interrogaciones... Todo cuenta en Twitter.

–Pareces una experta –dijo mi madre–. Hala, vamos a cortar.

Los tres miramos la hoja de la libreta donde lo habíamos escrito.

Normalmente era la libreta donde se apuntaba lo que había que comprar en el súper, como la leche, o el pan, o las lentejas,

o cualquier cosa que faltara. Pero aquel día estábamos usándola para algo muy distinto:

Escribir un mensaje de auxilio al Cholo Simeone.

O mejor dicho: un tuit.

Así contado, parecía una locura.

Pero era lo que estábamos haciendo.

–Podemos quitar eso de «perdona», y también lo de «admirador» y «fan» –dijo Rosita.

–Pero es que soy su admirador.

–Ya, pero hay que cortar.

–Pues por lo menos deja una de las dos –insistí.

–Está bien. Dejamos fan, que es más corta –zanjó ella–. Podemos ir tachando las palabras que sobran. Lo único que no se

puede quitar bajo ningún concepto es lo de @Simeone al principio. Si no lo ponemos, no le llegará nunca.

Entre los dos, fuimos tachando algunas palabras. No era fácil.

Pero me di cuenta de que se podía decir casi lo mismo quitando muchas cosas.

–Lo del estacionamiento no lo borrés –dijo Rosita–. Así es más dramático todo, y cuando lo lea se imaginará un sitio lleno de autos donde antes había un campo con niños y niñas felices corriendo.

–Suponiendo que lo lea –dije.

Mi madre parecía que se divertía viéndonos cortar el texto.

Después de un rato, quedó así:

@Simeone *Hola, Cholo! Perdona que te moleste. Me llamo Francisco y tengo once años. Soy tu admirador y tu fan número 1. Resulta que van a cerrar para siempre el campo donde juego con mi equipo de fútbol para construir un parking. Por favor, ven a ver nuestro último partido. Si tú vienes, a lo mejor no lo cierran. Es hoy, a las 8 de la tarde. En el colegio Soto Alto (en un pueblo que se llama Sevilla la Chica, muy cerca de Madrid). Ayúdanos! Muchas gracias!*

–Me da pena quitar «muchas gracias» –dijo Rosita, repasando–, pero es mucho mejor el final pidiendo ayuda.

–No cabe –anunció de nuevo mi madre–. Ahora son 314 caracteres. Siguen sobrando más de la mitad.

–Pufffffff... No me gusta esto de Twitter –dije–. Es imposible.

–Cortemos más –anunció Rosita, decidida.

–¿Más?

–Venga, ahora hagamos al revés: en lugar de eliminar, elijamos lo más importante.

Lo pensé un momento y dije:

–Que van a cerrar el campo. Y que, por favor, venga esta tarde al último partido.

–Dale.

–Ah, y también que van a hacer un aparcamiento.

–Cierto.

–Y que tengo once años, para que sepa que soy un niño.

–Perfecto. Pero vamos a poner 11 con número, que es más corto. ¿Algo más?

–Que nos ayude, por favor.

–Creo que lo tengo. Mirá cómo queda.

Rosita había tachado más cosas.

Y también había cambiado el orden de algunas palabras.

Mostró de nuevo la libreta:

@Simeone ~~Hola, Cholo! Perdona que te moleste. Me llamo Francisco y~~ *tengo 11 años.* ~~Soy tu admirador y tu fan número 1. Resulta que~~ *van a cerrar* ~~para siempre~~ *el campo donde juego con mi equipo de fútbol para construir un parking.* ~~Por favor, ven a ver nuestro último partido.~~ *Si tú vienes, a lo mejor no lo cierran. Es hoy último partido a las 8* ~~de la~~ *tarde.* ~~En el~~ *colegio Soto Alto* ~~(en un pueblo que se llama Sevilla La Chica, muy cerca de Madrid).~~ *Ayúdanos, por favor!* ~~Muchas gracias!~~

Lo contemplamos con ansiedad mientras mi madre lo copiaba en su pantalla.

Negó con la cabeza.

—Lo siento —dijo—. No cabe. 219 caracteres.

—¡Me rindo! —exclamé.

—Nunca te rindas, Pakete —dijo Rosita muy seria—. Si a vos te gusta el fútbol tanto como decís, no te des por vencido.

—Pero es que es imposible...

—¡Qué pavada! —me cortó.

—¿Y eso qué significa?

—Significa que tenemos que seguir hasta conseguirlo.

Parecía tan decidida que no me atreví a llevarle la contraria.

Agarré la libreta y el bolígrafo.

–Déjame intentarlo –dije.

Y empecé a tachar aún más palabras.

–Me gusta esta chica –murmuró mi madre.

Yo creo que «pavada» y «pamplinas» eran dos cosas que se parecían bastante. A lo mejor por eso le gustaba Rosita.

Me concentré muchísimo en el dichoso tuit.

En clase se me daban fatal las matemáticas y el inglés, y también el conocimiento del medio y otras cosas. Pero había una cosa que siempre me había gustado: las redacciones. Así que pensé que aquella era la redacción más importante que había hecho nunca. Y la más corta también.

Borré.

Cambié.

Añadí dos palabras.

Y se lo enseñé.

—No entiendo nada —dijo Rosita.

—Ni yo, cariño —confirmó mi madre.

Es verdad que la hoja se había llenado de tachones y borrones.

Así que lo pasé a limpio.

No tardé mucho.

Esto es lo que ponía:

@Simeone *Van a cerrar campo de fútbol infantil para construir parking. Hoy último partido 20h colegio Soto Alto. Ven y ayúdanos, por favor!*

Creo que no estaba nada mal para ser el primer tuit que escribía en mi vida.

Mi madre lo tecleó a toda velocidad.

—¡Ahora sí! —dijo—. ¡139 caracteres!

—¡Yuhuuuuuuu! —exclamé.

Nunca pensé que iba a estar tan contento por escribir 139 letras.

Qué cosas.

—¡Ya está enviado! —anunció mi madre.

Los dos la miramos expectantes.

—¿Y ahora? —pregunté.

—Bueno, ahora hay que esperar... —dijo ella—. Ten en cuenta que el Cholo tiene casi dos millones de seguidores. Puede que no lea el mensaje a tiempo. O incluso puede que no lo lea nunca. O tal vez puede que lo lea pero no pueda venir al partido. O puede que...

–Vale, vale –le pedí–. Yo me conformaría con que lo leyera.

–Has hecho muy bien –insistió mi madre–. Ahora, pase lo que pase, tenéis que jugar el torneo de esta tarde. Como dice siempre el Cholo...

–¡Partido a partido! –repetimos los tres al mismo tiempo.

Tenía razón.

Lo importante era intentarlo y no darse por vencido.

Mi madre cogió una bandeja de croquetas y volvió al salón.

–Voy a echar un vistazo a tu padre –dijo–, a ver si ha liado alguna más.

Rosita y yo nos quedamos solos en la cocina.

La miré sin saber qué decir.

–Tenés unos ojos relindos –dijo ella.

Glups.

Retrocedí un paso, asustado.

Aquello no pintaba bien.

–Eeeeeeh... hummm... Gracias, tú también... supongo –dije.

¡No sabía qué hacer ni qué decir ni nada de nada!

Me vino a la cabeza el beso que me había dado un momento antes y me puse aún más nervioso.

Quería salir corriendo.

En ese momento, sonó un pitido en mi teléfono móvil.

—Perdona, es que... me están escribiendo... Ya sabes cómo son estas cosas... –dije agobiado, y me di la vuelta para ver el mensaje.

Toqué la pantalla.

Y se abrió.

Era un wasap en el grupo de los Futbolísimos.

«Reunión urgente. A las 5 en el gimnasio del colegio».

Lo firmaba Helena con hache.

Levanté la vista.

El reloj de la cocina marcaba las cinco menos diez minutos.

—¿Quién es? –me preguntó Rosita.

La observé delante de mí.

Con su largo pelo rojizo.

Sus pecas.

Y su sonrisa.

Pasara lo que pasara, no podía decirle nada de los Futbolísimos.

Era un pacto secreto y nadie podía enterarse.

Mucho menos, la hermanastra de Helena.

—Di, ¿quién te ha escrito un mensaje? –volvió a preguntar.

Yo tragué saliva.

—No puedo contártelo –respondí.

—Ah, ¿no?

El gimnasio estaba a oscuras.

Solo entraba un poco de luz por una ventana del fondo.

Hacía bastante frío.

Supongo que, al estar cerrado el colegio durante la Navidad, no encendían la calefacción.

Nosotros nos habíamos colado.

Habíamos saltado la valla exterior.

Y habíamos entrado al gimnasio por una puerta lateral que casi siempre estaba abierta. No era la primera vez que lo hacíamos.

Solo había que bajar por unas escaleras al sótano.

Empujar una puerta con fuerza.

Y después agacharse para pasar por debajo de unas tuberías muy grandes y muy viejas que cruzaban toda la pared.

Una vez dentro, apartamos un poco las colchonetas amontonadas.

Y ya está.

Allí estábamos los nueve.

Camuñas, Tomeo, Anita, Marilyn, Ocho, Toni, Angustias, Helena y yo.

Todos me miraron muy sorprendidos.

Sin entender qué estaba diciendo.

—¿Simeone?

—¿El auténtico Cholo Simeone?

—¿El jugador y entrenador de fútbol?

—Que sí, que sí, el de verdad —dije—. Le he mandado un mensaje por Twitter desde la cuenta de mi madre contándole que nos van a cerrar el campo. Y le he pedido que venga esta tarde al partido.

—¿Y qué te ha dicho? —preguntó Anita, asombrada.

—Pues... bueno... a ver... De momento no ha dicho nada.

—O sea, que no te ha hecho ni caso —dijo Toni.

—Por lo menos ha intentado algo —intervino Marilyn.

—Ya, ya, pero aparte de que no le va a hacer ni caso, es que no lo entiendo —volvió a decir Toni—. ¿Para qué has invitado exactamente a Simeone a nuestro partido?

—Pues porque si viene alguien tan famoso... podemos anunciarlo a los periodistas...

–¿Y...?

–Y eso... Pues que, gracias al Cholo, todo el mundo se enterará de que van a cerrar un campo de fútbol de un colegio para construir un aparcamiento.

–Sigo sin entenderlo –dijo Toni.

–Yo tampoco lo entiendo muy bien –intervino Helena.

–Pues está muy claro –respondí mirando a Helena–. Además, que no ha sido idea mía: se le ha ocurrido a tu hermanastra. Pregúntale a ella.

Nada más decirlo, supe que no había sido buena idea.

Helena me miró fijamente.

–O sea, que ha sido idea de Rosita –dijo Helena, como si eso lo explicara todo.

–Bueno... en parte sí... –traté de explicar–. ¿Qué más dará eso?

–¿Tienes una hermanastra? –preguntó Marilyn.

–Sí –respondió Helena–. Ha venido de Argentina con mi padre a pasar las vacaciones. Y, por lo que se ve, se lleva muy bien con Pakete. Hace un rato... le ha dado un beso delante de todo el mundo.

–¿¡Un beso!?

–¿Pakete y tu hermanastra?

–¿Pero qué tipo de beso?

–¡Que yo no le he dado ningún beso! –protesté–. Ha sido ella. Y además, eso no tiene nada que ver ahora.

–¿Pero el mensaje al Cholo se lo has mandado tú, o esa Rosita? –intervino Ocho.

–¡Entre los dos! –exclamé–. Bueno, en realidad se lo ha mandado mi madre.

–Yo me he perdido –dijo Tomeo.

–Y yo.

–Pues anda que yo.

–Si hemos quedado para hablar de besos, yo me voy –dijo Angustias.

–No discutamos entre nosotros –pidió Marilyn–. Tenemos problemas mucho más importantes que un beso.

–Exacto –añadió Helena.

Yo me quedé callado.

Cualquier cosa que dijera sería peor.

Decidí que de momento no abriría más la boca.

Aunque me habría gustado dejar claro que yo no le había dado un beso a nadie.

Y que si le había mandado un mensaje o un tuit o como se diga al Cholo, había sido solo por ayudar.

Crucé una mirada con Helena.

Parecía molesta conmigo.

Tal vez por lo del beso.

O tal vez por otra cosa.

Quizá... estaba pensando en irse con su padre a Argentina.

Y por eso se ponía así.

No lo sé.

Ufffffffffffff...

–He convocado la reunión porque tenemos que tomar una decisión muy importante –dijo Helena con hache–. Esta tarde puede ser el último partido del Soto Alto, al menos en el colegio.

–Yo te apoyo totalmente, Helena –aseguró Toni.

–Pero si todavía no ha propuesto nada –dijo Camuñas.

–Bueno, pero la apoyo en lo que ha dicho hasta ahora, ¿o es que no puedo apoyar a quien me dé la gana?

–Sí, hombre, sí.

–Sé que algunos no queréis jugar el partido contra el Cerrillo –continuó Helena.

–Es que el Cerrillo...

–Ya los has visto antes.

–Lo único que saben hacer es dar patadas y empujones.

–Si hay que votar –dijo Angustias–, yo voto irnos a casa ahora mismo y no jugar.

–Escuchad un momento lo que tengo que decir, por favor –dijo Helena–. Yo propongo que juguemos. Y que juguemos mejor que nunca. Que les demostremos a todos que no nos rendimos. Que ganemos la copa de oro de los Inocentes. ¡Y que la utilicemos para pagar las deudas del colegio! ¡Así no tendrán que venderlo para construir el aparcamiento!

–¡Apoyo totalmente a Helena! –exclamó Toni otra vez, entusiasmado.

–Suena muy bonito –dijo Camuñas–. Pero aunque nos esforcemos mucho, no sabemos si podemos ganar el partido.

–Y luego que no tenemos ni idea de qué valor tiene la copa esa –apuntó Anita.

–Han dicho que es de oro –recordó Ocho.

–Eso habrá que verlo –dijo Anita–. La verdad, no creo que con un copa de un torneo infantil se puedan pagar todas las deudas del colegio. Es imposible.

–A mí me gusta más el plan de Pakete: esperar a ver si viene el Cholo sin hacer nada –dijo Angustias.

–Sin hacer nada tampoco –dijo Marilyn–, porque en ese plan también tendríamos que jugar el partido.

–¿¡También!? –preguntó él, alarmado–. ¿Es que nadie tiene un plan que se pueda hacer desde casa?

Yo seguía callado.

No quería meterme.

Lo que había dicho Helena no era mala idea.

Aunque no pudiéramos pagar las deudas con la copa, al menos podríamos demostrar que el equipo quería luchar por el campo.

–¡A por la copa! –dijo Toni.

Y puso la mano extendida delante de todos.

Allí en medio.

Enseguida, Helena colocó una mano encima de la suya.

Aunque me diera rabia y aunque no tuviera ninguna gana de jugar contra el Cerrillo, por una vez estaba de acuerdo con Toni.

Teníamos que jugar.

Como un verdadero equipo.

Y demostrar que podíamos conseguirlo.

Poco a poco, todos fuimos poniendo la mano encima.

Igual que habíamos hecho cuando hicimos el pacto secreto de los Futbolísimos.

—Qué remedio —dijo Angustias.

Y él también puso la mano.

—¡Futbolísimos! —dijo Helena.

—¡Futbolísimos! —repetimos todos.

—¡A por la copa! —exclamó.

—¡A por ellos! —gritamos el resto.

Permanecimos así un rato.

Los nueve agarrados de la mano.

Unidos.

Como habíamos estado siempre.

Nos miramos en silencio.

En ese momento me dio la sensación de que nada ni nadie podría con nosotros.

Éramos los Futbolísimos.

Y estábamos dispuestos a demostrarlo.

Siempre juntos.

Imparables.

–¿Me puedo mover ya, o vamos a estar así toda la tarde? –preguntó Tomeo–. Es que se me está durmiendo la mano.

–Sí, sí, yo creo que ya es suficiente con las manitas –dijo Marilyn dando un paso atrás.

El resto hicimos lo mismo.

Nos separamos.

Miré a mis compañeros.

Habíamos pasado por momentos difíciles.

Pero siempre nos habíamos ayudado los unos a los otros.

Pensé en una cosa que no les había dicho.

No quería ocultarles nada.

Además, tarde o temprano se iban a enterar.

Resoplé y dije:

–Esto... no sé cómo decirlo... pero... que... esto... que... que...

No me salía.

–¿Te pasa algo, Pakete? –me preguntó Marilyn.

–Di lo que sea, hombre –me animó Camuñas.

–Dilo, no te lo guardes –insistió también Tomeo.

–¡Está bien! ¡Resulta que hay una persona que se ha enterado del pacto de los Futbolísimos! –estallé–. Lo siento muchísimo, pero... Rosita se ha enterado. Estaba con ella cuando he recibido el mensaje de la reunión... Y como me había ayudado con lo del Cholo... y al fin y al cabo es de la familia... pues se lo he dicho. ¡Lo siento mucho, perdonad!

Ahora sí que me miraban boquiabiertos.

–¿Le has contado el pacto de los Futbolísimos a mi hermanastra? –preguntó Helena.

Asentí.

—Pero es un pacto secreto —dijo Marilyn.

—No lo podía saber nadie —añadió Camuñas, perplejo.

—Bocazas —murmuró Toni.

Helena estaba muy, pero que muy enfadada.

—¡Le das besos delante de todos y le cuentas nuestros secretos! —gritó—. ¿Qué mas vas a hacer?

—¡Pues no lo sé! —me defendí—. ¡Por lo menos yo no me voy a ir a vivir a otro país y voy a abandonar a mis amigos!

—¿¡QUÉ!?

Todos se dieron la vuelta hacia Helena.

Ella me miraba de una manera muy rara.

Parecía enfadadísima y decepcionada.

Nadie se atrevía a decir nada.

Entonces se escuchó una voz que venía del otro extremo del gimnasio.

—¡Que viene! ¡Que viene!

Nos giramos.

Junto a la puerta apareció Rosita.

Venía corriendo a toda velocidad.

—¡Que viene! —repitió.

—¿Pero quién viene?

—El Cholo Simeone —dijo ella sonriendo—. ¡Ha contestado! ¡Y viene al partido!

Ánimo, pibes! El fútbol hace milagros. A las 8 estaré en el partido de su colegio para apoyarlos! Saludos del Cholo.

Rosita lo leyó tres veces seguidas.

Era verdad.

Había contestado.

–¡El Cholo en Sevilla la Chica! –exclamó Tomeo, emocionado.

–¿Y cómo sabe cuál es nuestro colegio? –preguntó Toni, desconfiado.

–Porque Pakete lo puso en el tuit que le envió –aclaró la propia Rosita.

–¿Pero estamos hablando de Simeone... Simeone? –dijo Camuñas, que no se lo podía creer–. ¿El de verdad?

—¿Viste? ¡Es algo extraordinario!

—Perdón, ¿qué es exactamente un tuit? —preguntó Ocho.

—Pues un mensaje por Twitter —explicó Anita—. Para tener una cuenta hay que ser mayor de catorce años.

—¡Buah! Mi primo Ramiro acaba de cumplir trece y se ha abierto una cuenta en Twitter —aseguró Toni—. El año que viene, fijo que yo también tengo, ya veréis.

—Pues muy mal —dijo Marilyn—, porque con las redes sociales hay que tener mucho cuidado, nos lo han explicado en el colegio, y además...

De pronto, la capitana se quedó parada, pensativa.

Y dijo:

—¿Pero qué estoy diciendo de la redes sociales? ¿A mí qué me importa eso ahora mismo? ¡Que viene el Cholo! ¡A ver nuestro partido!

Marilyn chocó la mano con Tomeo.

—¡Toma ya!

Luego chocó las manos con Camuñas y Anita y con varios del equipo.

Estábamos todos muy contentos.

Todavía no me lo podía creer.

¡Había contestado mi mensaje!

¡Y venía al colegio!

—¡Ole, ole, ole, el Cholo Simeone!

—¡Los del Cerrillo se van a quedar helados cuando se enteren!

—Hay que avisar a todo el mundo —dijo Rosita, entusiasmada—. La mamá de Pakete ya se lo está diciendo a la gente del pueblo, es un día grande... Ayyyyy... Mirá vos, que haya tenido que venir yo acá para conocer a un argentino tan importante como el Cholo.

—Sí, bueno, todo eso está muy bien —dijo Toni mirándola—, pero ¿tú quién eres?

Todos observaron a Rosita con mucha atención.

Ella se echó hacia atrás su pelo rojo.

—Soy... la hermanastra —dijo muy seria.

Por un momento, todos nos quedamos callados.

Aquella niña pelirroja y con esos enormes ojos verdes nos miraba desafiante.

Ella conocía nuestro pacto secreto.

Algo que muy pocas personas del mundo podían decir.

Ni siquiera nuestros padres o nuestros entrenadores.

Sin embargo, nosotros no la conocíamos de nada.

No era de nuestro equipo.

Y no sabíamos si podíamos confiar en ella.

Rosita sonrió y movió la cabeza sin abrir la boca.

Se mantuvo en silencio, solo mirándonos.

—Me estoy poniendo un poco nervioso —dijo Angustias—. Por favor, que alguien diga algo.

—No tienen que preocuparse —respondió Rosita—. Yo estoy aquí para ayudarlos a salvar el equipo. Este pacto de ustedes de los Futbolísticos está seguro conmigo. Yo no se lo contaré a nadie.

—Los Futbolísimos —corrigió Marilyn.

—Sí, bueno, como se diga —siguió ella—. Además, a mí me encantan los secretos; soy una especialista en secretos, tengo un montón.

—No me digas —intervino Helena, que había estado callada hasta ahora—. Me alegro que digas eso, porque yo pensaba que era justo al revés.

—¿A qué te referís?

Helena con hache miró muy fijamente a Rosita, como si no estuviera segura de si debía decir lo que estaba pensando.

Hasta que al fin abrió la boca y dijo:

—Pues me refiero a que eres una cotilla. Desde que has llegado a España, no haces más que chismorrear: que si en Buenos Aires todo es mucho mejor, que si mi padre te lleva allí a montar a caballo y a navegar en piragua y a no sé cuántos sitios más, que si hacéis esto y lo otro. Pufffffff...

—Eso que acabás de decir no tiene nada que ver con los secretos —respondió Rosita, ofendida, mirando a los demás.

—¡Me da exactamente igual! —estalló Helena—. ¡Para que te enteres: mi padre nunca será tu padre, por mucho que viva contigo y por mucho que te empeñes!

Nunca había visto a Helena así.

Estaba que se subía por las paredes.

Parecía muy triste.

Y muy indignada.

Rosita negó con la cabeza.

–Qué pena que pienses así –dijo la argentina–. Yo solo quería ayudar. Pero si no soy bien recibida, me voy por donde he
venido.

Dio media vuelta.

Y se alejó caminando hacia la puerta lateral del gimnasio.

Sin girarse, dijo:

–¡Ah, y no se preocupen! Yo no soy una chivata, no le voy a
contar a nadie el pacto de los Futbolísticos. Ni siquiera al Cholo.
No hace falta que me den las gracias. Chau.

Dio los últimos pasos y salió de allí.

Dando un portazo.

—Se dice Futbolísimos —murmuró Marilyn.

—Bueno. Si hemos terminado, yo me voy a casa —dijo Tomeo—. Quiero contarles a todos que viene Simeone.

—Yo voy contigo —añadió Camuñas.

—Y yo —dijo Angustias.

Anita y Ocho también salieron detrás de ellos.

—Yo quiero ver el tuit de Simeone.

—Y yo también.

Parece que, ante algo así, todo lo demás no tenía ninguna importancia.

Marilyn recordó:

—No penséis tanto en Twitter y concentraos en el partido.

—Se van a enterar los del Cerrillo —respondió Toni—. Ya estoy deseando machacarlos.

—Hombre, macharlos tampoco —dijo la capitana—. Yo me conformaría con ganar por un gol.

Ellos dos fueron los últimos en salir del gimnasio.

O, mejor dicho, los penúltimos.

Porque aún quedábamos dos personas allí dentro.

Helena con hache.

Y yo.

Ella aún parecía disgustada por lo que acababa de ocurrir con Rosita.

Lo de su padre la estaba afectando mucho.

Normal.

La miré y pregunté:

—¿Puedo ayudarte en algo?

—¿Y por qué piensas que necesito ayuda? —me contestó.

—Yo... bueno... perdona... Como le has dicho esas cosas a... tu hermanastra... y luego... pues... no sé... te he visto un poco triste a lo mejor... No lo sé, perdona...

Ya empezábamos.

Otra vez me había puesto supernervioso.

–Pues no pienses tanto –dijo–. Estoy fenomenal. Lo que haga Rosita a mí me da igual. Y lo que hagas tú con ella también me da lo mismo. Ojalá que os deis muchos besos y seáis muy felices.

–Pero yo no...

–Hasta luego –me cortó.

Me dejó con la palabra en la boca y se fue hacia la puerta.

Yo fui detrás de ella.

Al fin y al cabo, no me iba a quedar en aquel gimnasio yo solo.

Helena llegó hasta la puerta y agarró el pomo.

Sin embargo, se quedó allí parada.

Por algún motivo, no abrió.

A lo mejor quería decirme algo y por eso no se marchaba.

–¡No puedo abrir la dichosa puerta! –exclamó–. ¡Está atrancada! ¡Lo que faltaba!

En realidad, lo que ocurría era que no podía salir. Por eso se había parado.

Helena intentaba girar el pomo y empujar.

Pero nada.

–Déjame probar a mí –dije.

Pensé que tal vez podría abrir la puerta y que Helena me daría las gracias y podríamos hablar de todo tranquilamente.

Probé dando un tirón.

Luego, muy despacio.

Fuerte otra vez.

Imposible.

Yo tampoco podía.

La puerta estaba cerrada desde fuera.

Era muy extraño.

Parecía que nos habían encerrado.

–Encima, aquí dentro no hay cobertura para pedir ayuda –dijo Helena mirando la pantalla del móvil–. ¿Y ahora qué hacemos?

Pero no pude responder.

Porque en ese momento se escuchó un ruido.

Se abrió un ventanuco al fondo y asomó la cabeza... una ardilla.

El animal movió los dientes.

A continuación dio un salto y entró al gimnasio.

Un segundo después apareció otra ardilla.

Y otra.

Y otra más.

¡Aquello era una avalancha de ardillas!

Había muchísimas.

Y venían corriendo hacia nosotros.

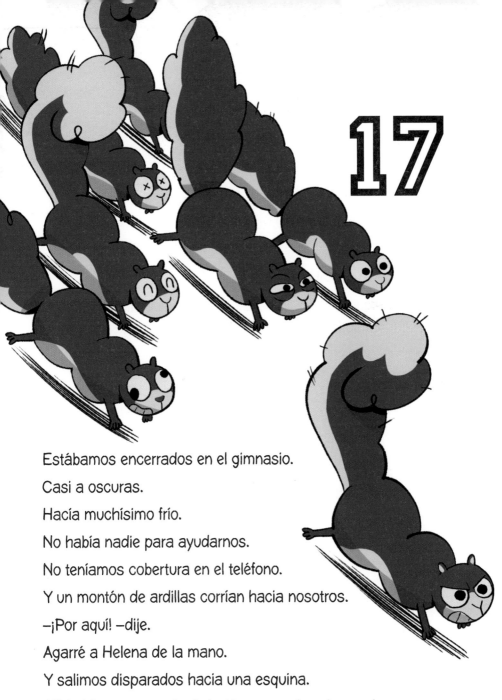

17

Estábamos encerrados en el gimnasio.

Casi a oscuras.

Hacía muchísimo frío.

No había nadie para ayudarnos.

No teníamos cobertura en el teléfono.

Y un montón de ardillas corrían hacia nosotros.

—¡Por aquí! —dije.

Agarré a Helena de la mano.

Y salimos disparados hacia una esquina.

Allí había una especie de baúl enorme de color verde oscuro.

Lo abrí a toda velocidad.

Vi que dentro había algunos balones, redes, conos y otras cosas.

Nos miramos.

Y sin decir nada, nos metimos dentro de un salto.

Desde el interior, agarré la tapa y la cerré.

Helena y yo respiramos con fuerza, metidos en aquel cajón que servía para guardar trastos del gimnasio. Casi no se veía nada.

A los pocos segundos, se oyeron golpes fuera.

Las ardillas debían estar subiendo sobre el baúl.

Se movían por encima de nuestras cabezas.

Dando saltitos.

Castañeteando los dientes.

–¿Tú crees que las ardillas son peligrosas? –preguntó Helena desde la penumbra.

–No lo sé, la verdad –respondí–. Pero al ver tantas, me he asustado un poco.

–Yo también.

En el colegio habíamos estudiado que las ardillas son mamíferos roedores. Igual que las ratas o las liebres o los hámsteres.

Tienen unos dientes muy largos y uñas afiladas, pero la verdad es que a primera vista no dan miedo. Al revés: pueden ser muy graciosas subidas a una rama y moviendo su cola.

Más de una vez había visto alguna ardilla en la sierra, cerca del pueblo.

Pero una cosa es ver una ardilla subida a un árbol y otra muy distinta encontrarte de pronto veinte o treinta ardillas corriendo hacia ti.

–Puede que en realidad no nos estuvieran atacando –susurró Helena–. A lo mejor ellas también estaban huyendo.

–¿De quién?

Los dos nos quedamos pensativos.

–Pues no lo sé –añadió Helena–. De la misma persona que nos ha encerrado en el gimnasio.

–¿Tú quién crees que ha podido ser?

–Tal vez los del Cerrillo. Ya viste cómo nos tiraron la pintura por encima esta mañana.

–Es lo primero que he pensado yo también –reconocí.

–O puede...

–¿Qué?

–Puede que haya sido mi hermanastra –soltó Helena–. Es muy capaz.

–¿Por qué iba a hacer una cosa así?

–Porque está enfadada conmigo. Porque le gusta llamar la atención. O por hacer una broma del Día de los Inocentes.

La idea de que Rosita nos hubiera encerrado allí y luego hubiera metido un montón de ardillas por el ventanuco me parecía muy rara. No creo que hubiera sido ella. Aunque no podía saberlo. Helena la conocía mejor que yo, y si pensaba que era capaz, a lo mejor tenía razón.

Nos quedamos en silencio unos instantes.

De pronto, dejaron de oírse ruidos afuera.

Tal vez las ardillas se habían cansado del baúl.

Pensé en decirle a Helena que quizá podíamos abrir la tapa con cuidado para ver qué estaba ocurriendo.

Podía oír su respiración en la oscuridad, muy cerca de mí.

Justo cuando iba a proponerle que nos asomáramos, empecé a oír otra cosa.

Al principio no sabía lo que era.

Parecía como si a Helena le costara respirar.

O como si fuera a estornudar.

Pero no era eso.

Era...

Creo que era...

Helena llorando.

No podía verla, pero estaba casi seguro.

Mi amiga y compañera de equipo estaba llorando, a mi lado.

Ahora sí que no sabía qué hacer ni qué decir.

Nunca me había pasado una cosa así.

No me gustaba que se pusiera tan triste.

Y mucho menos que llorase.

Supongo que tenía sus motivos. Echaba de menos a su padre. Y ahora tenía que elegir entre irse con él a vivir a un país muy lejano, o quedarse aquí con su madre y su colegio y sus amigos.

Me dio mucha pena.

Me entraron ganas de cogerle la mano. Y decirle que, pasara lo que pasara, los Futbolísimos siempre estaríamos juntos, y que podía contar conmigo para lo que ella quisiera, y que, por favor, no se pusiera así.

Pero no me atreví a abrir la boca.

Ni a moverme.

A lo mejor ella no quería que me enterase de que estaba llorando.

Era una situación muy difícil.

Estuvimos así un rato.

No sé cuánto.

Yo oía su respiración entrecortada, sus lloros.

Y aunque no veía nada, podía imaginarme perfectamente las lágrimas cayendo por sus mejillas.

Hasta que la propia Helena dijo:

–¿Abrimos?

–¿Eh?

–Que parece que ya no están las ardillas. ¿Abrimos el baúl?

–Claro, claro...

Empujé la tapa con mucho cuidado y, lentamente, la poca luz que venía del exterior iluminó nuestros rostros.

Nos asomamos poco a poco.

Al mismo tiempo, miré de reojo a Helena para ver si estaba bien, para saber si era verdad que había estado llorando.

Me pareció que tenía los ojos enrojecidos.

Pero no podía estar seguro.

Y no me pareció buena idea preguntárselo.

–Han desaparecido –dijo ella.

Me giré.

Supongo que se refería a las ardillas.

Tenía razón: no estaban por ninguna parte.

Tal vez habían vuelto a escaparse por el ventanuco, o por algún otro agujero que hubieran encontrado en la pared.

Igual que habían venido, se habían marchado.

–¿Por qué se habrán ido de repente? –preguntó Helena.

–Pues...

La respuesta apareció delante de nuestras narices.

En ese preciso momento, la pared del fondo empezó a temblar.

Se escuchó un ruido ensordecedor.

Y de golpe...

¡Una de las viejas cañerías saltó por los aires!

¡CATACRAC!

Empezó a salir un gran chorro de agua.

Salía con una fuerza descomunal.

Más y más agua.

Caía al suelo y se llevaba por delante todo lo que había: sillas, colchonetas, balones...

Helena y yo nos subimos sobre el baúl.

Y observamos el panorama.

¡EL GIMNASIO SE ESTABA INUNDANDO!

Corrimos hasta la puerta lateral del gimnasio.

Y la empujamos con todas nuestras fuerzas.

Seguía cerrada.

Dimos golpes.

Pedimos ayuda.

–¡Auxilio!

–¡Socorro!

Mientras tanto, el agua seguía saliendo por la cañería rota.

–¿Tú crees que alguien lo habrá hecho a propósito? –preguntó Helena.

Era muy raro.

Primero nos encerraban.

Después entraban decenas de ardillas en tromba.

Y para colmo, el sitio empezaba a inundarse.

–No lo sé –contesté–. Pero si es una broma, no le veo la gracia.

El agua llegó hasta donde estábamos nosotros.

–¡Está muy fría! –exclamó Helena.

–En vacaciones no deben encender la caldera –dije.

–¿Qué hacemos?

Buena pregunta.

Miré a mi alrededor.

Y señalé hacia la otra pared.

–Las espalderas.

Cruzamos dando saltos y pisando el agua, que ya casi nos llegaba por los tobillos.

Al ser un sótano, el agua no salía por ninguna parte y se estaba inundando muy rápidamente.

Trepamos por las espalderas hasta lo más alto.

Desde allí se divisaba todo el gimnasio.

El agua iba aumentando de nivel delante de nuestros ojos.

Aquello no tenía buena pinta.

A ese ritmo, en poco tiempo el agua llegaría a nuestra altura.

–¿Se te ocurre algo, o nos vamos a quedar aquí mirando? –preguntó Helena.

—Pues... no sé... El ventanuco es muy pequeño... La puerta está atrancada... Los móviles no funcionan...

Menudo panorama.

Estábamos atrapados.

Y sin escapatoria.

¿Qué podíamos hacer?

—Tal vez venga alguien a sacarnos —dije.

—Sí, seguro —respondió Helena resoplando.

Tenía razón.

¿Quién iba a venir?

Aún quedaban casi tres horas para el partido.

Los únicos que sabían que habíamos ido al gimnasio eran nuestros amigos. Y no se podían imaginar lo que nos estaba ocurriendo.

—No sé quién ha podido hacer una cosa así —dijo ella.

—Puede que no lo haya hecho nadie —dije yo—. A lo mejor no nos han encerrado.

—¿A qué te refieres?

—Pues que quizá la puerta se ha atrancado sola. Luego, las ardillas han entrado corriendo porque huían de algún animal. Y, por último, la cañería se ha roto... porque estaba muy vieja. Esas cosas pasan.

Ella me miró fijamente.

—Eres muy buena persona, Pakete.

No entendía muy bien a qué había venido eso.

—Muchas gracias —dije de todas formas.

—Pero también eres un ingenuo —añadió ella.

—¿Y eso qué significa?

—Pues significa que las cosas no pasan por casualidad. Ni la cañería se ha roto sola, ni la puerta se ha atrancado por sí misma, ni a las ardillas les ha dado de repente por entrar al gimnasio. Esto lo ha tenido que hacer alguien. Para gastarnos una broma pesada. O para meternos un buen susto. O por otra razón que ahora mismo no se me ocurre.

—Pues si ha sido para asustarnos, por mí ya lo han conseguido. Pueden dejarlo.

El agua seguía subiendo más y más.

Era una situación horrible.

Había que intentar algo.

Abrí la boca y grité:

—¡Socorro! ¡Estamos encerrados en el gimnasio!

Helena también gritó:

—¡Que alguien nos ayude!

—¡Auxilio!

—¡Ayuda!

—¡Si queréis asustarnos, lo habéis conseguido! ¡Estamos muertos de miedo!

—¡El agua está inundando el gimnasio y no podemos salir!

—¡Sacadnos de aquí!

—¡Socorro!

Pero nadie respondió.

No se escuchó ni un ruido.

Ni pasos de alguien acercándose.

Nada.

Solo el agua saliendo.

Inundando el viejo gimnasio.

Agarré con fuerza la espaldera.

Después de todo, puede que no consiguiéramos escapar de allí.

Así que decidí que era el momento de contarle la verdad a Helena con hache.

Lo que llevaba pensando mucho tiempo.

Me armé de valor y dije:

–Oye.

–¿Se te ocurre algo? –preguntó, cada vez más asustada–. Por mucho que pienso, no veo ninguna salida.

–No exactamente.

–Entonces, ¿qué quieres?

–Pues que... te quería decir... que...

Me vinieron varias cosas a la cabeza: la primera vez que Helena me había dado un beso. Los partidos y misterios y aventuras que habíamos compartido. La posibilidad de que ahora se marchara a vivir muy lejos.

El agua subía y subía y subía...

Miré el chorro que salía a borbotones de la cañería.

Y dije:

–Siempre me has gustado.

–¿Qué?

–¡Que siempre me has gustado muchísimo! ¡Y que me encantó el beso que me diste aquella noche en el campo de fútbol! ¡Y que eres la mejor del equipo y la que tiene los ojos más grandes del mundo! ¡Y que yo no quiero saber nada de Rosita y tampoco quiero que te vayas a vivir a Argentina! ¡Esa es la verdad!

Helena me miró asombrada.

En cuanto terminé de decirlo...

¡El chorro se detuvo de golpe!

Dejó de salir agua.

Se oyeron unos golpes muy fuertes en la puerta lateral, como si alguien la estuviera forzando desde fuera.

¡CATACLONC!

La puerta se abrió.

El agua empezó a bajar de nivel.

Y apareció una persona avanzando por el agua.

Bernardo, el padre de Helena.

Parecía emocionado de vernos allí.

–¡Helena!

–¡Papá!

Detrás de él venían otras dos personas:

Esteban, el director del colegio.

Y mi padre, que seguía vestido con el uniforme de policía.

Se llevó la mano a la gorra, alarmado al ver la situación.

–¿Estáis bien? –preguntó preocupado.

–Sí, genial –dije yo.

Había mucho que contar.

Y tendríamos que buscar al culpable de encerrarnos allí.

Pero mientras bajábamos por las espalderas, solo podía pensar en una cosa.

Le susurré a Helena en voz baja:

–Oye... esto... ¿Podríamos borrar totalmente lo que he dicho hace un momento? Es que no sé por qué me ha salido... Ha sido por los nervios de pensar que a lo mejor nos íbamos a ahogar... ¿Podemos olvidarlo completamente, por favor?

–No creo que pueda olvidarlo nunca –respondió ella sonriendo.

Glups.

Los bomberos entraron en el gimnasio y achicaron el agua con una bomba hidráulica.

Por lo visto, una bomba hidráulica es un cacharro que sirve para extraer líquidos y gases y otras cosas.

—Aparta, chaval —me dijo el jefe de bomberos.

Y la puso en marcha.

Enseguida empezó a funcionar.

Se encendió el motor y, poco a poco, fueron extrayendo el agua acumulada en el sótano.

Después de que nos rescataran, habíamos salido afuera, al patio.

Bernardo no dejaba de abrazar a Helena.

—Ay, mi vida, ¿seguro que estás bien?

—Que sí, papá, de verdad. No ha pasado nada.

Los bomberos nos habían dejado unas mantas.

—Todo esto que ha ocurrido es inaceptable —dijo Bernardo—. Algo así no puede ocurrir en un colegio.

—Hombre, Bernardo —trató de defenderse Esteban—. Los niños se han colado sin permiso y...

—Ya, ya —le cortó el padre de Helena—. Pero eso es una chiquillada. Lo grave es que se queden encerrados y que estén a punto de ahogarse. Hay que llamar a la policía ahora mismo.

—¡Pero si la policía soy yo! —exclamó mi padre.

—Perdona, hombre —se disculpó Bernardo mirándole—. Es que nunca pienso en ti como un policía policía, sino más bien como un... guardia, o sea, un policía municipal, ¿me entiendes?

—Pues la verdad es que no —dijo mi padre—. Para tu información, te diré que los policías municipales somos auténticos policías en todos los sentidos. Y que resolvemos más casos de los que te piensas.

—Que sí, que sí, no te lo tomes a mal —dijo Bernardo—. Pero es que esto que les ha pasado a los niños es tremendo. En un colegio como es debido no puede pasar algo así. Mira la que se ha liado. Si ni siquiera los pobres bomberos son capaces de sacar toda el agua...

Por lo que había dicho el jefe de bomberos, una de las tuberías del gimnasio había explotado. Aún no podía saber el motivo, y tampoco si era por una avería o porque alguien la había manipulado.

—A ver, niños —zanjó mi padre, dejando la manta a un lado—. Mucho ojo, porque ahora os hablo como agente de la ley. ¿Qué ha ocurrido exactamente?

Helena y yo nos miramos.

—Pues... que alguien nos han encerrado en el gimnasio —dije yo, abrigándome con la manta—. Y que hemos tenido que trepar a las espalderas porque el agua cada vez subía más y más, y estaba muy fría, y hemos gritado socorro y otras cosas, pero no venía nadie y ya no sabíamos qué hacer. Ah, bueno, y también han aparecido de repente un montón de ardillas corriendo y nos han atacado, y nos hemos tenido que esconder dentro del baúl donde se guardan los balones hasta que se han ido. Yo creo que las ardillas se han marchado porque tienen un sexto sentido y se han dado cuenta de lo que estaba a punto de suceder con el agua.

—¿Os han atacado unas ardillas? —preguntó Bernardo, escandalizado—. ¡Esto es el colmo!

—Es la primera vez en toda mi vida que escucho algo así —dijo Esteban—. Las ardillas son unos animales encantadores.

—Eran muchísimas —traté de justificar—, y estaban muy nerviosas. Movían así los dientes: claclaclaclaclaclaclá...

Intenté imitarlas castañeteando los dientes, aunque creo que no lo hice muy bien.

—Tendríais que haberlas visto —insistí—, ¿verdad, Helena?

—Sí, sí. Parecían muy peligrosas.

–Todo eso está muy bien –intervino de nuevo mi padre–. Pero la pregunta clave es: ¿qué estabais haciendo dentro del gimnasio vosotros dos solos?

–En realidad no estábamos solos –empecé a decir–. También estaban...

Pero Helena me hizo un gesto y no me dejó continuar.

–Pakete quiere decir que también estaban las ardillas –dijo–. ¡Menudo susto!

Helena me miró como diciendo: «¡Has estado a punto de hablarles de la reunión de los Futbolísimos!».

La verdad es que tenía toda la razón. Menos mal que me había cortado. Casi se me escapa.

–Sí, qué susto. Esas ardillas tenían unos dientes enormes –dije cambiando de tema.

–Sigo sin entenderlo –volvió a decir mi padre, señalando las escaleras que conducían al gimnasio–. ¿Por qué estabais ahí dentro los dos solos?

–Pues porque queríamos hablar de nuestras cosas sin que nadie nos molestara –respondió Helena.

–¿De qué cosas? –preguntó Bernardo.

–Y además, ¿cómo habéis entrado, si el colegio está cerrado? –dijo Esteban.

–¿Cuánto tiempo llevabais ahí metidos? –dijo mi padre.

–¿Cuándo os habéis dado cuenta de que la puerta estaba atrancada?

–¿Habéis visto a alguien sospechoso?

–¿A qué hora habéis llegado?

Ufffff... Cuántas preguntas.

–Hemos entrado por un agujero que hay en la valla exterior –expliqué con naturalidad–. Lo hace todo el mundo.

–¿¡Qué!? –exclamó Esteban llevándose las manos a la cabeza–. Eso sí que es una infracción grave.

–Los niños casi se ahogan... ¿y te preocupas por una tontería así? –replicó Bernardo–. Todos los niños del mundo se cuelan por alguna valla y no pasa nada.

–¡Yo jamás me he colado en ningún sitio! –afirmó Esteban, tajante–. Es una falta de disciplina y de educación. Hay que ponerles un castigo ejemplar.

–¿A nosotros? –pregunté sin entender nada–. ¡Pero si nos han encerrado y han roto una tubería y casi nos ahogamos!

–Ajá, precisamente –dijo el director–. ¿Y cómo sabemos que todo eso no lo habéis hecho vosotros mismos?

–¿Pero cómo vamos a atrancar la puerta por fuera si estábamos dentro? –dijo Helena–. Además, que no tiene ningún sentido inundar un sitio del que no teníamos escapatoria.

–En eso tiene razón la niña –reconoció Bernardo–. Aquí el colegio tiene una responsabilidad. Nunca había visto una cosa igual.

–Yo no estaría tan seguro –insistió Esteban–. Puede que hayan roto la cañería sin querer y el tema se les haya ido de las manos. Si son capaces de colarse por una valla prohibida, son capaces de cualquier cosa. Reconocedlo, os hemos pillado: todo ha sido cosa vuestra, ¿verdad?

Dimos un paso atrás.

—Ejem, perdona, Esteban, pero aquí el interrogatorio lo llevo yo —advirtió mi padre.

—El policía municipal —subrayó Bernardo.

—Pues sí, a mucha honra —corroboró mi padre, y nos miró de nuevo a nosotros dos—. Yo lo que no comprendo es para qué os habéis escondido en el gimnasio.

—Está clarísimo —dijo Bernardo riéndose—: para hacer manitas y darse besos.

—¡Que noooooooooooo! —respondimos al mismo tiempo Helena y yo.

—Venga, si eso lo hemos hecho todos —insistió Bernardo.

—Puajjjjjj... Que no, de verdad —dije.

—Pues hace un rato, con Rosita, no ponías esa cara de asco —dijo Helena.

—¡Ahí, ahí! —siguió el padre de Helena—. ¡A ver si te aclaras, Francisco! Primero, con una de mis hijas en las tinieblas... y luego, con la otra en el gimnasio. ¡Estás hecho un donjuán!

—Pero que yo no... —traté de decir.

—¡Pakete y yo no nos estábamos dando ningún beso, para que os enteréis! —soltó Helena, que de pronto se había puesto de mal humor—. ¡Y otra cosa te digo, papá: que yo sepa, solo tienes una hija!

Se dio la vuelta y se marchó de allí.

—Helena, no te lo tomes así, por favor —dijo Bernardo, siguiéndola—. Claro que tú eres mi única hija, pero Rosita... Entiéndeme... Ella es tu hermanastra, y te quiere... y yo también...

Y me gustaría mucho que os llevarais bien... Perdona si te he ofendido... Helena, espera, no corras... ¡Si he venido a salvarte!

Helena siguió caminando hacia la puerta del colegio a toda prisa.

Pasó por encima de una manguera que conectaba el camión de bomberos con la bomba que habían llevado hasta el gimnasio y siguió adelante.

–¡Nunca me llevaré bien con Rosita! ¡No la soporto! –aseguró mientras se marchaba–. ¡Y nunca jamás me iré contigo a vivir a Buenos Aires, para que te enteres!

–Escucha, hija...

Bernardo y ella se alejaron y dejé de oír lo que decían.

No me gustaba ver a Helena tan enfadada.

Ni tan triste.

Sin embargo, reconozco que me alegró escuchar que nunca se iría a vivir con su padre. No quería que se marchara tan lejos. Ojalá fuera verdad y se quedara con nosotros, como siempre.

–Yo también me voy, que hay que preparar un montón de cosas antes del torneo, y tengo que cambiarme de ropa –dijo Esteban señalando su traje empapado–. Al fin y al cabo, es el último partido del Soto Alto en nuestro propio campo de fútbol... y parece que va a venir mucha gente importante.

–¿Pero entonces el partido sigue adelante? –pregunté.

–Por supuesto –confirmó Esteban–. Es el Torneo del Día de los Inocentes. ¡Y viene Diego Pablo Simeone en persona! Esto de la inundación lo arreglan en un momentito los bomberos y aquí no ha pasado nada. Hala, nos vemos en un rato. Ah, y conste que, en mi opinión, a estos dos granujillas habría que ponerles un castigo ejemplar por saltarse las normas. Hasta luego. ¡No lleguéis tarde al partido, que viene el Cholo!

Esteban fue hacia las escaleras.

–¡Pero bueno! –suspiró mi padre–. Aquí todo el mundo se va sin mi permiso. ¡Que no he terminado el interrogatorio!

–Creo que ya no te oyen –dije–. Si quieres, me puedes seguir interrogando a mí.

Mi padre me miró, un poco desinflado.

–Da igual –se resignó–. Anda, vamos a casa, que aún quedará tarta.

Cruzamos el patio caminando.

–Oye, papá, ¿cómo sabíais que estábamos encerrados en el gimnasio?

–No lo sabíamos –respondió–. Radu ha venido hace un rato a preparar el campo para el partido. Y, por suerte, ha descubierto que una tubería estaba rota y que se estaba inundando el sótano. Ha llamado a Esteban, a los bomberos, a la policía y a todo el mundo. Por eso hemos venido.

–¿Radu?

–Sí, ha sido él quien ha dado el aviso –dijo mi padre–. Mírale, allí está poniendo las redes en las porterías.

Efectivamente, Radu, con su enorme corpachón, estaba colocando las redes unos metros más allá.

Tan silencioso como siempre.

De repente, al verle, me dio por preguntarme si habría sido él quien atrancó la puerta con nosotros dentro.

No se me ocurría ningún motivo para que hiciera algo así.

Pero era uno de los pocos que tenían acceso al colegio.

Y que sabían cómo funcionaban las tuberías.

Enseguida me vinieron a la cabeza otros sospechosos.

Romeo y los sucios del Cerrillo.

El señor Villarroel y su larguísima nariz.

Incluso Rosita...

—¿En qué estás pensando? —me preguntó mi padre.

—Pues... en... en... Simeone —contesté disimulando.

No quería acusar a nadie sin pruebas.

Además, aquella era una misión para los Futbolísimos.

Tendríamos que investigar.

Y dar con el culpable.

Ese día se nos acumulaban los problemas.

Primero, el torneo sorpresa contra el Cerrillo.

Después, el cierre del campo de fútbol.

Y ahora, todo lo que había ocurrido en el gimnasio.

—Menudo notición lo del Cholo —siguió mi padre—. Y eso que yo no soy colchonero... Pero reconozco que es un gran entrenador y un gran futbolista y se preocupa por los niños... Es un gesto muy bonito que venga esta tarde al partido.

–¿Tú crees que acudirán muchos periodistas?

–Desde luego, tu madre se lo está contando a todo el mundo.

–¿Y crees que el Cholo conseguirá impedir que se venda el campo de fútbol para construir un aparcamiento?

–Hummmmm... No lo sé, la verdad. Pero que venga al pueblo a ver un partido de niños ya es un milagro.

En ese momento, noté algo húmedo sobre mi mejilla.

Levanté la vista: estaba empezando a nevar otra vez.

Quizá era una buena señal; no sé por qué, pero eso es lo que pensé.

Bajo la nieve, mi padre y yo atravesamos el patio en dirección al coche patrulla.

Antes de llegar al aparcamiento, le hice una última pregunta, algo que me llevaba rondando por la cabeza desde que habíamos conseguido salir del gimnasio.

–Papá, ¿alguna vez le has dicho a una chica que te gusta?

Al escucharme se rio.

–Pero bueno... A ver si va a tener razón Bernardo con eso de los besos... Ja, ja, ja, ja, ja, ja...

–Que no, si yo no...

–Dime la verdad, Francisco: a ti siempre te ha gustado esa niña... Helena con hache, ¿verdad que sí?

–Noooooooooooooooo.

–¿No? –me preguntó.

—Bueno, un poco a lo mejor sí. No lo sé. Puede que un poco sí, pero no estoy seguro... ¡Y además, que no quiero hablar de eso!

—¡Pero si has sido tú el que ha sacado el tema! Ja, ja, ja, ja, ja...

—No te rías, jolín, que es algo muy serio.

—Ya, ya, si no me río, de verdad. Ja, ja, ja, ja, ja, ja...

Terminamos de recorrer el trayecto y subimos al coche.

Pensé que, después de lo que le había confesado a Helena, las cosas nunca volverían a ser igual entre nosotros dos.

Ufffffff...

Mi padre encendió el motor.

Trataba de disimular, pero no paraba de reírse.

—Ya vale —dije.

—Sí, sí, perdona. Ja, ja, ja, ja, ja, ja, ja, ja, ja...

20

—Mira, mira, mira: ¡tengo más de treinta mil retuits! ¡Toma, toma y toma!

Mi madre me mostró la pantalla de su móvil como si le hubiera tocado la lotería.

—¿Y eso qué es? –pregunté.

—Eso es la bomba, hijo mío –dijo–. Todo el mundo está poniendo comentarios y más comentarios. ¡El Cholo me ha contestado en persona! ¡Toma y retoma!

Estábamos en la cocina merendando.

Ya se habían ido todos los invitados del cumpleaños.

Enseguida tendríamos que irnos al partido.

Mojé unas galletas en el vaso de leche y dije:

–Bueno, en realidad me ha contestado a mí.

–¿Qué quieres decir? –preguntó mi madre.

–Nada –respondí–. Que el mensaje lo he escrito yo. Y que el Cholo me ha contestado a mí. Así que los treinta mil «retuts» esos son míos.

–Pues claro, cariño, lo que tú digas. Si es que estoy muy orgullosa –dijo, y se acercó a darme un beso.

–Mamá –protesté apartándome–, que tengo la boca llena.

–Ayyyyyy... Qué poco le gusta a mi hijito que le dé besos su madre –insistió–. Ah, y se dice «retuits». El caso es que Simeone ha contestado y que ya lo sabe todo el mundo. Van a venir periodistas de todas partes.

–Tenemos que conseguir que no cierren el campo.

–Ese es el objetivo número uno, por supuesto. Que la noticia conciencie al colegio y al ayuntamiento y a todos y que no lo vendan para hacer un aparcamiento –dijo ella muy convencida–. Pero además... Bueno, ya que va a venir el Cholo, también le estamos preparando algunas sorpresillas.

–¿Qué sorpresillas? –pregunté preocupado.

–Nada, algunas cosas sin importancia –dijo–. Hemos hablado los del AMPA y le vamos a entregar una placa conmemorativa de su visita. Y luego le llevaremos al salón de actos para enseñarle el concurso de pintura de Navidad. Y también le haremos un pequeño recorrido por el pueblo para que vea el belén de la plaza y el árbol de Navidad de la glorieta y que los niños del coro le canten unos villancicos. Lo va a disfrutar muchísimo. ¡Ah! Y, desde luego, aprovecharemos para darle a probar el famoso asado de Sevilla la Chica y hacer con él una sesión de fotos en la Asociación de Madres Futboleras, que casualmente tiene su sede... aquí mismo, en nuestra casa. ¿A que es genial?

Casi me atraganto al escuchar todo aquello.

–¿Qué asociación es esa? –pregunté–. Nunca la había oído.

–Pues una asociación que hemos fundado esta tarde entre la madre de Helena, la madre de Anita y yo misma. No te creas, ¿eh?, que Marimar, Laura y yo llevábamos ya mucho tiempo dándole vueltas a la idea: una asociación de madres a las que nos encanta el fútbol... ¡Y vamos a nombrar al Cholo presidente de honor! ¡Aquí mismo, en el salón de casa! ¡Así tendrá que quedarse a cenar con nosotras! ¡Va a ser un día inolvidable!

Era horrible.

–Pero, mamá, el Cholo viene a ver nuestro partido...

–Ya, ya, por supuesto. Primero, que vea el partido, y luego, todo lo demás. Le vamos a dar el recibimiento que se merece.

–A ver si se va a asustar con tantas cosas...

–Huy, asustar dice. Anda, anda, todo lo contrario: le van a encantar el recibimiento y el itinerario que le hemos preparado.

No estaba tan seguro, pero preferí no insistir. Cuando mi madre se pone así, no hay quien la detenga.

Mi hermano Víctor entró en la cocina con el teléfono en la mano.

–Pues he pensado que yo también voy a escribir tuits a personajes famosos para que vengan al pueblo –dijo.

–Fenomenal –respondió mi madre–. Aunque, si no te responden, no te agobies, cariño. No es fácil.

–¿Y por qué no me van a responder a mí, si el Cholo ha contestado al enano?

–No me llames «enano» –dije.

–Bueno, ya, pero eso no significa que cualquier famoso te vaya a responder –trató de explicar mi madre–. La gente tiene su vida y sus cosas y no pueden estar pendientes de todos los mensajes que les envían.

–De momento he escrito al Rubius y a One Direction, y también al Recio... Estoy esperando a ver qué me dicen.

–No creo que te respondan –murmuré.

–¡Y tú qué sabrás, enano! –aseguró mi hermano, y me dio una colleja, como de costumbre.

–¡Víctor! –exclamó mi madre.

–¿Qué pasa?

–Pues que no pegues a tu hermano pequeño... Y lo más importante: que no puedes usar las redes sociales al tuntún; hay que tener un poco de cabeza.

–¡Pero si tú llevas todo el día metida en Twitter!

–Eso es muy distinto –se excusó ella–. Yo lo hago por una buena causa: para impedir que vendan el campo de fútbol del colegio.

–Sí, ya, y para hacerte fotos con el Cholo –dijo mi hermano–, y traerle a casa y que todos lo vean.

–Eso no es así. Y no me contestes, que te confisco el móvil ahora mismo.

–Pero si no he hecho nada...

–Me has pegado una colleja sin venir a cuento –recordé.

–Eso lo hago todos los días, enano. Ya deberías estar acostumbrado.

Y me dio otra colleja.

–¡Víctor! –estalló mi madre–. ¡Castigado sin móvil una semana!

–Siempre igual, la tenéis tomada conmigo –dijo Víctor–. ¡Esto es una injusticia muy grande!

Mi madre y mi hermano podrían haber seguido discutiendo toda la tarde, pero en ese momento apareció mi padre por la puerta de atrás. Venía corriendo, con la cara desencajada. Como si hubiera pasado algo horrible.

–Ayyyyyyyyyyyyyyyyy... –dijo nada más entrar.

–¿Qué pasa, Emilio? No me asustes.

–Ayyyyyyyyyyyyyyyy... –repitió.

–Pero di algo.

Mi padre nos miró.

Se quitó la gorra.

Y dijo muy serio:

—Es una cosa que tiene que ver con Simeone... Ayyyyyyyyyy... Ayyyyyyyyyy...

Aparté el vaso de leche y me levanté.

¿Qué podría haber ocurrido ahora?

—Dilo ya, Emilio, que me va a dar algo —pidió mi madre.

—Voy, Juana, voy... Es que es muy fuerte.

Los tres le miramos expectantes.

Incluso mi hermano estaba nervioso.

—Pues lo que ha pasado es... A ver cómo lo digo... Lo que ha sucedido es...

—¿Al final no viene?

—¿Le ha pasado algo?

—¡Suéltalo ya, por favor!

Mi padre sonrió y dijo:

—Lo que ha pasado es... ¡que el Cholo viene al pueblo!

Y empezó a reírse.

—¿¡QUÉ!?

—Vaya cara que se os ha quedado —dijo mi padre riéndose—. ¡Inocentes! ¡Habéis picado!

Ufffffffffff... Otra vez con sus bromas.

—¡Emilio! ¡Por mucho que sea el Día de los Inocentes, con esto no se juega! —dijo mi madre muy enfadada.

—Ya, ya, perdona. Ja, ja, ja, ja, ja, ja, ja, ja, ja...

Aquel día, mi padre no paraba de reírse por todo.

—Por cierto, Víctor —dijo—. ¿Me puedes alcanzar la botella del agua, por favor?

Mi hermano se dio la vuelta para coger la botella.

Y todos pudimos ver que todavía llevaba pegado en la espalda el monigote de papel.

Mi padre estalló en más y más risas.

—¿Pero qué pasa? —preguntó Víctor.

—Nada, nada... ¡Ja, ja, ja, ja, ja, ja, ja, ja, ja, ja, ja, ja, ja, ja, ja!

Si seguía riéndose así, yo creo que le iba a dar algo.

—Ya está bien de tonterías —intervino mi madre, que se acercó a mi hermano y le quitó el muñeco de la espalda.

—¿Pero qué es esto? —preguntó él, sorprendido—. ¿Desde cuándo lo tenía pegado?

—¡Desde que me diste el abrazo! ¡Ja, ja, ja, ja, ja, ja, ja, ja, ja, ja, ja, ja, ja!

—No le hagas ni caso a tu padre —dijo ella—, que se le ha subido a la cabeza esto del Día de los Inocentes.

—Lo siento, es que... llevas un montón de horas con el muñeco de inocente sin darte cuenta. ¡Ja, ja, ja, ja, ja, ja!

Mi hermano salió de la cocina rezongando.

—Mi familia me castiga y encima se ríen de mí. Soy un apestado —murmuró.

—Venga, cariño, no te lo tomes así —dijo mi madre—. Te levanto el castigo, anda. Puedes usar el móvil.

—Gracias —respondió, y desapareció por el pasillo.

No sé cómo lo hacía, pero Víctor siempre se salía con la suya.

Me había pegado dos collejas, había contestado a mi madre y al final parecía la víctima.

–Tienes que dejar las bromitas por hoy, Emilio –dijo mi madre.

–Sí, sí, tienes razón –respondió mi padre limpiándose las lágrimas con un pañuelo; estaba llorando de risa–. Además, esta noche, en la cena con el alcalde y el Cholo, no es plan que me ponga a gastarles inocentadas, aunque a lo mejor les hace gracia que un policía también sea un bromista...

–¿Qué has dicho? –preguntó ella.

–Pues que tal vez les parezca divertido que un agente de la ley como yo sea también un tío gracioso...

–No, no. ¿Qué has dicho de la cena?

–Ah, sí, perdona, que se me había olvidado. Resulta que el alcalde ha organizado una cena después del partido con el Cholo y las autoridades del pueblo; ya sabes: los concejales, el jefe de bomberos, el policía... Yo te invitaría, cariño, pero es solo para unos pocos y no depende de mí.

–¿Es una de tus bromas? –preguntó mi madre.

Aquello se estaba poniendo serio.

–No, no... Es una idea del alcalde, y yo le he dicho que cuente conmigo y...

–¡A ver si se os mete a todos en la cabeza que no podéis hacer planes con el Cholo así como así! –exclamó–. Me parece una vergüenza que le queráis utilizar para quedar bien y haceros la típica foto. Ese hombre viene al pueblo para ayudar a los niños, no para andar por ahí con... cualquiera que pretenda aprovecharse de su visita.

–Tienes razón, perdona. Yo no...

–Ni perdona ni nada. Ya le estás diciendo al alcalde que se olvide de todo eso de la cena. El tuit lo he puesto yo. Me ha contestado a mí. Y no estoy dispuesta a que se utilice a un personaje público como Simeone en beneficio de nadie.

–Ahora mismo le llamo...

Mi padre, avergonzado, sacó su teléfono y marcó un número.

Mientras hablaba con el alcalde, salió de la cocina.

Nos quedamos solos mi madre y yo.

La miré sin poder creerme lo que acababa de ocurrir.

¡Pero si ella también había organizado un montón de actividades para el Cholo, incluyendo una cena y todo!

–¿Qué? –dijo ella.

–Nada, nada –respondí.

–Venga, prepárate, que tenemos que ir al partido y darle al Cholo el recibimiento que se merece.

Voy a decirlo una vez solamente.

Los adultos son muy raros.

Y tienen mucho morro.

–¡Machacadlos!

–¡Acabad con ellos!

–¡Dadles caña!

–¡Os vamos a triturar!

Daba miedo verlos.

Gritando.

Amenazando.

Iban vestidos completamente de amarillo, de la cabeza a los pies. Con las banderas y los gorros y los guantes a juego. Armando un tremendo escándalo en el patio del colegio delante de todos.

Los padres y las madres del Cerrillo parecían auténticos hooligans.

No eran demasiados, cerca de treinta, pero armaban muchísimo ruido y gritaban sin parar:

–¡Árbitro, cegato, te estamos vigilando!

–¡Os vamos a meter una paliza!

–¡Manos arriba, esto es un atraco!

Y eso que el partido aún no había comenzado.

Después de dar un montón de vueltas por la zona, mi madre había aparcado dos calles más allá, al lado del supermercado. No había ni un solo sitio cerca del colegio.

Estaba todo llenísimo de gente.

Curiosos, espectadores, periodistas, gente que había venido de otros pueblos.

Al parecer, la noticia del Cholo había levantado una expectación fuera de lo normal.

Nunca había visto tanta gente en el campo del Soto Alto. Ni siquiera cuando jugamos el torneo contra los infantiles del Real Madrid, el Atleti y el Barça.

Mi hermano, mi madre y yo subimos caminando a toda prisa hasta el patio. Íbamos con el tiempo justo.

Al doblar la esquina de la valla, vimos el campo iluminado.

Se había hecho de noche.

Y seguía cayendo nieve.

Pero ni el mal tiempo ni la amenaza de fuertes tormentas habían impedido que el campo estuviera a rebosar.

No cabía ni un alfiler.

Mi padre, junto a otros compañeros policías, trataba de poner un poco de orden entre los presentes.

Había dos pancartas enormes colgadas en la puerta del colegio.

Una decía:

BIENVENIDO, CHOLO.

Y la otra:

WELCOME, CHOLO.

No sé de quién habría sido la idea, pero Simeone es argentino y no creo que necesitara un recibimiento en inglés.

Entre los cientos de personas (tal vez miles) que había allí agolpadas, los que más llamaban la atención eran los hinchas del Cerrillo.

Las madres y los padres en la grada gritaban a todo pulmón, vestidos con abrigos y gorros y bufandas amarillos. Incluso se habían pintado la cara con rayas del color amarillo de su equipo, como si fueran guerreros que iban a una batalla.

Es lo que hacían en todos los partidos: gritar y atemorizar a los rivales.

Parecía darles igual que viniera el Cholo, que fueran a cerrar el campo o que hubiera un montón de periodistas.

Solo parecían preocupados por el partido que estaba a punto de empezar.

Gritaron su lema a coro:

–¡Correr y atizar! ¡Correr y ganar!

Y otra vez:

–¡Correr y atizar! ¡Correr y ganar!

Asustaba verlos así.

Con unos padres tan exaltados, no era raro que los hijos se comportaran de esa manera.

Los de la cofradía que organizaba el torneo habían colocado una especie de alfombra azul y negra desde la puerta del colegio hasta el centro del campo, donde aguardaba la copa de oro que se llevaría el equipo ganador.

La gente se agolpaba a ambos lados con cámaras y móviles, esperando el gran momento en el que apareciera el Cholo.

Detrás de la copa de oro había un micrófono de pie. Y presidiendo el comité de bienvenida estaba Gustavo Ferrada, el alcalde del pueblo, tocándose su larga barba blanca y mirando hacia la entrada del colegio.

Junto a él se encontraban varias personas: Esteban como director del colegio, Jerónimo Llorente como presidente de la Liga Intercentros, y otros hombres y mujeres que no sé quiénes eran, pero que iban muy arreglados y parecían muy importantes.

Todos permanecían en silencio, muy dignos y serios, aguardando la llegada del invitado de honor.

–¿Dónde te habías metido?

Me di la vuelta y vi a Camuñas y Angustias, que ya estaban vestidos para jugar el partido. Además de la equipación normal, llevaban unas mallas debajo del pantalón y también guantes. Me hicieron gestos para que me acercara.

—Venga, que estamos todos en el vestuario –dijo Camuñas.

—Yo pensaba que te habías asustado y ya no venías –siguió Angustias.

—Qué va –respondí–. Perdonad, pero es que no había sitio para aparcar y hemos dado muchas vueltas.

Cogí mi bolsa de deportes y me fui con ellos.

—Solo faltabas tú por llegar –insistió Camuñas–. Bueno, y el Cholo Simeone, claro.

—Menuda se ha liado, ¿eh? –dijo Angustias señalando el patio.

Nos giramos y observamos el espectáculo un momento antes de entrar a los vestuarios.

Era increíble que hubieran venido todas aquellas personas. Teníamos que conseguir que se impidiera la venta del campo, aprovechando que había tanta gente y tantos periodistas.

Vi cómo mi madre se plantó en el centro del campo y le dijo algo al alcalde, mientras se hacía un hueco entre los presentes.

Conociéndola, estaba claro que ella quería formar parte del comité de bienvenida al Cholo.

No me quedé a ver qué pasaba, aunque estaba seguro de que mi madre se saldría con la suya.

Al entrar por la puerta que daba al vestuario, nos cruzamos con Radu.

Llevaba una bolsa de balones colgando de un brazo.

Ni siquiera nos miró.

—Hola —dijo.

Y siguió adelante como si tal cosa.

–Ya nos ha contado Helena todo lo que os ha pasado en el gimnasio esta tarde –dijo Camuñas mientras caminábamos por el pasillo.

–¿Es verdad que casi os ahogáis? –preguntó Angustias.

–Ha sido horrible –dije, haciéndome un poco el interesante–. Tuvimos que subirnos a las espalderas para escapar del agua.

–¿Y os atacaron unas ardillas asesinas?

Quizá lo de «asesinas» era mucho decir.

Pero no quería quitarle emoción a la historia, así que dije:

–Eran las ardillas más peligrosas que he visto nunca. Con sus garras afiladas, y unos dientes enormes, y...

Justo en ese momento, se abrió la puerta del vestuario 2.

Y de allí salió Romeo, el capitán del Cerrillo.

Acompañado de un niño y una niña de su equipo.

Se plantaron en medio del pasillo y nos cortaron el paso.

–¿Eres tú el que se ha escrito mensajes con el Cholo? –me preguntó señalándome con el dedo índice.

–Sí, bueno –contesté–. He sido yo a través de la cuenta de Twitter de mi madre.

Romeo se rio al escucharme y, de inmediato, los que iban con él también se rieron.

–¿Habéis oído? Le ha escrito con la cuenta de su mamaíta –dijo–. Hay que ser pringado.

Y más risas.

Por lo visto, aquel día a todo el mundo le daba por reírse de mí.

—Perdona —dije—. Es que tengo que pasar al vestuario para cambiarme, que se me ha hecho un poco tarde...

Di un paso, pero él levantó el brazo y negó con la cabeza.

—Pasarás cuando yo te lo diga, ¿está claro?

No me gustan los chulitos que van de matones.

Pero la verdad es que aquel chico era el doble que yo. No creo que fuera buena idea llevarle la contraria.

—Está clarísimo —dijo Angustias, viendo que yo no respondía.

—Antes de pasar —dijo Romeo—, tienes que contestarme una pregunta muy sencilla: ¿a qué hora exactamente viene el Cholo?

—¿Eh?

—Que a qué hora llega Simeone al colegio.

—Pues no lo sé —dije—. Te prometo que no tengo ni idea.

—Pero si eres tú el que le ha escrito —insistió Romeo—, algo sabrás.

—Hombre, Pakete, en eso tiene razón —dijo Camuñas—. Si alguien lo tiene que saber, ese eres tú.

—En su tuit no decía la hora; solo que vendría al partido —traté de explicarles—. Yo le puse que el partido empezaba a las 8, así que supongo que estará a punto de llegar. Eso es todo lo que sé.

El capitán del Cerrillo no parecía muy convencido.

—Te voy a decir una cosa: a mí me da igual que venga Simeone o que vengan Messi y Cristiano Ronaldo en persona.

—¿¡Van a venir Messi y Cristiano también!? —preguntó el chico que iba con él, asombrado.

—Que nooooooo, espabilado —dijo Romeo—. Es una forma de hablar. Lo que quiero decir es que da lo mismo quién venga. Lo único importante es que os vamos a ganar. Es más, os vamos a machacar.

—Eso ya lo dijiste el otro día —respondí.

—En realidad, lo que dijo el otro día es que nos iban a gastar un montón de bromas —puntualizó Angustias—. Lo dijo así en tono amenazante, pero no es lo mismo; por eso...

—Cerrad la boca los tres —ordenó Romeo—. Los del Soto Alto siempre os creéis muy guays, pero eso se acabó. Esta tarde os vamos a pegar una paliza de las que hacen época. Y mañana mi padre va a comprar vuestro campo de fútbol. Sois historia. Estáis acabados. Y aunque sea el Día de los Inocentes, esto no es ninguna broma.

Aquel chico era un creído y un abusón.

—¡Pakete! ¡Camuñas! ¡Angustias! ¡Venid aquí ahora mismo!

Alicia y Felipe se habían asomado por la puerta del vestuario 1 y nos estaban llamando.

—¡Venid de una vez, que casi no queda tiempo! —exclamó Alicia.

Ahora sí, Romeo se apartó y nos dejó pasar.

—Venga, corred, pringados —dijo en voz baja al pasar a su lado—, que os llaman vuestros entrenadores.

Cruzamos muy cerca de él sin responderle.

Y por fin llegamos a la puerta de nuestro vestuario.

—¿Pero aún no te has cambiado? —preguntó Felipe al verme.

—Es que no me ha dado tiempo —dije—. Ahora mismo me cambio.

—Pues venga —me apremió Alicia—, que todavía tenemos que daros la charla técnica y contaros algunas jugadas de estrategia, y lo más importante... ¡Tenemos que presentaros al nuevo fichaje del equipo!

Camuñas, Angustias y yo miramos a nuestra entrenadora con los ojos muy abiertos.

¿Nuevo fichaje?

¿De quién estaban hablando?

22

—Al igual que Diego Pablo Simeone, el nuevo fichaje del Soto Alto también nació en la ciudad de Buenos Aires. Os presentamos a...

—¡Tachán!

Delante de todos, subida a un banco del vestuario, apareció...

¡Rosita!

Llevaba puestos la camiseta y el pantalón de nuestro equipo.

No tenía ni idea de que jugara al fútbol.

Claro que supongo que había muchas cosas de ella que yo no sabía.

Se dio la vuelta y señaló el dorsal con ambos pulgares.

–¡El 14! –exclamó Rosita emocionada–. El mismo que portaba el Cholo cuando jugó en el Atleti.

–¡Pero eso no puede ser! –exclamó alguien desde una esquina.

Todos nos giramos.

Era Helena la que había dicho eso.

No podía creerse que algo así estuviera ocurriendo.

–¿No puedo llevar el 14? –preguntó Rosita.

–¡No puedes jugar! –dijo–. No eres del equipo... y no has entrenado con nosotros... Ni siquiera eres del colegio. ¡Ah, y no tienes ficha en la Liga Intercentros!

–¿No querés que juegue con vos? –se lamentó Rosita–. Pensé que te iba a gustar.

–Pero, Helena –dijo Alicia–. Sois hermanas.

–Hermanastras –dije yo.

Seguramente debía haberme quedado callado, pero quería apoyar a Helena.

Sabía que lo estaba pasando mal.

Y que aquello no era fácil.

–¿Vos tampoco querés que juegue? –me preguntó Rosita, como si la hubiera traicionado.

Miré a Rosita.

Y a Helena.

Las dos me observaban fijamente.

No sabía qué contestar.

–Yo no... o sea, que solo he dicho que sois hermanastras...
Por mí puedes jugar... o no... Lo que decidan los entrenadores...
Yo no... no tengo una opinión...

¡Ufffff! Qué difícil...

–Lo que pasa es que no tienes ficha –continuó Helena–. Así que
asunto arreglado. Qué pena, de verdad, lo siento mucho.

–Es un torneo amistoso –aclaró Felipe–, no un partido de liga.
Ya lo hemos hablado con el árbitro y con los organizadores,
y están de acuerdo...

–Exacto. Como ha dicho Pakete –intervino Alicia–, aquí los
entrenadores somos nosotros, y creemos que Rosita es un re-
fuerzo importante para este partido. Su padre nos ha contado
que es la máxima goleadora de su equipo en Buenos Aires.

–¿Mi padre os ha pedido que Rosita juegue con nosotros?
–preguntó Helena, que cada vez estaba más desconcertada.

–Bueno, a ver –intentó explicar Alicia–. Bernardo cree que es
una buena oportunidad de que hagáis algo juntas... y unidas...
y así a lo mejor os acercáis un poco... Y yo estoy de acuerdo.
El fútbol sirve para aprender a hacer las cosas en equipo.

–Eso, y que es una gran goleadora –añadió Felipe.

–¿Cuántos goles llevas? –preguntó Toni, desafiante.

–Este año metí veintiocho en la liga y doce en partidos amis-
tosos –respondió Rosita de carrerilla–. Soy rápida, soy buena
y quiero ayudar. La idea de escribir a Simeone fue mía, todos
lo saben. Ahora les pido que me dejen jugar con ustedes para
dar una lección a los sucios del Cerrillo.

–Yo voto que juegue –dijo Toni.

–Yo también –le secundó Marilyn–. Necesitamos ayuda contra el Cerrillo. Y además, como no la conocen, puede ser nuestra arma secreta.

–Si quieres, yo te dejo mi puesto –dijo Angustias aprovechando la oportunidad.

Helena se quedó callada viendo cómo todos apoyaban a su hermanastra.

–¡Que juegue Rosita! –empezó a decir Tomeo–. ¡Que juegue Rosita!...

Los demás continuaron al mismo tiempo:

–¡Que juegue Rosita! ¡Que juegue Rosita!

Creo que Helena y yo fuimos los únicos que no dijimos nada.

Si todos estaban de acuerdo, que jugara.

Ya veríamos si era tan buena como decía.

Al fin, Rosita bajó del banco.

–Gracias, gracias. Está bien, muchachos –dijo–. Che, si se empeñan, jugaré el partido.

–¡Bien!

–¡Bravo!

–Bienvenida al equipo –dijo Camuñas muy formal, dándole la mano–. Nos habíamos visto antes, pero no nos habían presentado oficialmente. Yo soy Camuñas, portero.

–Encantada –dijo ella–. Para mí el arquero es la pieza más importante del equipo. Tenés una gran responsabilidad.

–Eso es lo que yo digo siempre –respondió mi amigo, haciéndose el importante.

–Las presentaciones para luego –intervino Alicia–. Ahora tenemos que daros la alineación inicial y preparar algunas jugadas.

–Exacto –dijo Felipe–. No es una decisión fácil, pero creemos que es bueno que Rosita empiece de titular. Los rivales no se lo esperan.

–Lo único que esperan es machacarnos. Les da igual quién juegue –dijo Helena.

–En eso tiene razón –dijo Anita.

–Por eso mismo, vamos a sorprenderlos –aseguró Alicia–. La alineación será la siguiente: Camuñas en la portería; Angustias, Tomeo y Marilyn en la defensa; Helena y Rosita en la medular, y Toni en punta.

–¿¡Qué!? –pregunté sin entender nada–. Tanta historia... ¿y al final soy yo el que se queda en el banquillo?

–Lo hemos meditado mucho, Pakete –dijo Felipe–. Además, como el mensaje a Simeone lo enviaste tú, el alcalde y el director del colegio quieren que te sientes con él al principio del partido, para las fotos y todo eso.

–¿Pero qué fotos? –protesté–. Yo quiero jugar, no sentarme en la grada.

–Será solo al comienzo del partido; luego entrarás como revulsivo –dijo Alicia–. Hay que pensar en lo mejor para el equipo.

–Yo siempre soy suplente y no protesto –dijo Ocho.

–Y yo –suspiró Anita.

En eso tenían razón mis compañeros.

Si me dejaran en el banquillo para que jugaran Ocho o Anita, no diría nada.

Pero que me sustituyera Rosita...

Y que encima me mandaran a la grada a posar para los periodistas.

—Aquí todos somos igual de importantes —aseguró Felipe—. Somos el Soto Alto. Venga, chicos, venid a la pizarra un momento...

Me quedé completamente chof.

Pero decidí callarme.

Mientras los demás se acercaban a la pizarra, Helena se puso a mi lado y me susurró:

—Ya sé quién nos encerró en el gimnasio.

Cuando escuché aquello, casi me caigo de espaldas.

—¿Lo sabes? —pregunté atónito.

—Shhhhhhhhhh... Baja la voz —dijo ella.

Me hizo un gesto y nos apartamos un poco del grupo.

Los entrenadores empezaron a hacer diagramas en la pizarra y a comentar algunas jugadas.

Nosotros dos nos quedamos en una esquina del vestuario, detrás de las taquillas.

—¿Quién ha sido? —pregunté.

—Es increíble —dijo—. La última persona que me podía imaginar.

—¿Rosita?

–No.

–¿Romeo?

–No.

–¿Otro jugador del Cerrillo?

–No.

–¿Villarroel?

–No.

–¿Radu?

–Noooooo.

–¿Entonces quién? –pregunté desesperado–. Dímelo ya, por favor.

Ella miró alrededor para asegurarse de que nadie más la escuchaba.

Bajó mucho la voz y dijo:

–Ha sido mi padre.

–¿¡Qué!?

–Shhhhhhhhhhh –volvió a decir ella.

–¿Pero por qué iba a hacer una cosa así?

–Ya viste cómo se puso cuando llegaron al gimnasio. Dijo que era inaceptable y que había que llamar a la policía y que no se podía consentir una cosa así.

–¿Y...?

–Está clarísimo –insistió–. Quiere convencerme de que este colegio es un desastre para que me vaya a vivir con él.

–¿Y para eso nos encierra y casi nos ahoga? No lo entiendo.

–Solo quería asustarnos –dijo Helena–. Y luego aparecer en plan salvador. Ya viste cómo entró el primero en el gimnasio, haciéndose el héroe. Y, de paso, demostrar que con él voy a estar a salvo y que este colegio es un caos y que allí me va a llevar a un sitio mucho mejor.

–Lo veo un poco rebuscado, la verdad.

–Así es mi padre. Desaparece tres años casi sin dar señales de vida. Y luego se presenta y quiere que me vaya al otro lado del mundo con él.

No sabía qué decir.

–¿Tienes alguna prueba de que lo ha hecho él? –pregunté.

–Desde luego –respondió ella, convencida–. ¿Sabes de qué es su empresa en Argentina?

–Pues... no sé... –dije, tratando de imaginar una conexión con lo que había ocurrido–. ¿De tuberías?

–No. ¡De ascensores!

–¿Y eso qué tiene que ver?

–Pues mucho –insistió Helena–. Porque sabe perfectamente cómo se atranca una puerta. ¿No te das cuenta? Y además, mi padre es un manitas y en casa siempre arreglaba los grifos y esas cosas. ¡Todo encaja!

–Pero eso no es una prueba, solo es una sospecha... Y además que luego, cuando salimos del gimnasio, se reía un montón, acuérdate.

–¿Y qué?

–Pues que si fuera el culpable no se reiría tanto, yo creo.

–Mira, solo te lo cuento para que lo sepas: mi padre está dispuesto a hacer lo que sea para convencerme de que me vaya con él. Incluyendo inundar el colegio y luego rescatarme. No quiero que hagas nada. Ni siquiera que me des la razón. Pero, como me dijiste esas cosas tan bonitas en las espaleras, pensé que te interesaría saberlo.

–Ah, sí, esas cosas tan... bonitas –recordé.

Y me puse rojo solo de pensarlo.

–¡Los dos del fondo! ¿Qué pasa con vosotros? –preguntó Alicia–. ¿No os interesan las jugadas del equipo?

–Sí, sí, perdón.

Ahí acabó la conversación entre Helena y yo.

Nos unimos al grupo.

Aunque no fuera fácil, decidí olvidarme por un rato de lo que había ocurrido en el gimnasio.

Teníamos que jugar un partido muy importante.

Tal vez el último del Soto Alto.

El campo estaba cubierto por una capa blanca de nieve.

Soplaba un viento helado.

Y todo el mundo miraba el reloj en el videomarcador.

Las 8 y 29 minutos.

Un momento después, la aguja avanzó.

Las 8 y 30 minutos.

Simeone no había aparecido.

Aquello no tenía buena pinta.

El alcalde se acercó al micrófono y le dio unos golpecitos con el dedo.

Toc, toc.

–¿Se me oye? –preguntó.

–¡Que sí, hombre, que sí!

–¡Se te oye perfectamente, alcalde!

–¿Dónde está el Cholo?

–¡Eso! ¿Dónde está Simeone?

–¡Nos estamos congelando y aquí no aparece nadie!

–¡Esto es una estafa!

Los espectadores, en la grada, protestaban muy enfadados.

–Un momento, por favor –trató de explicar el alcalde–. Comprendo que estéis decepcionados. Todos teníamos mucha ilusión con la visita de Simeone. Y la seguimos teniendo... A lo mejor aparece en cualquier momento. Pero vamos, lo que quiero dejar claro es que, si no viene, yo no tengo nada que ver... Aquí la responsabilidad es del colegio... o sea... del director del colegio.

Y señaló a Esteban, que se quedó perplejo.

Le estaba echando la culpa delante de todo el mundo.

Se acercó a toda prisa al micrófono.

–Por alusiones, creo que debo decir algo –intervino Esteban.

–¡Sinvergüenzas, nos habéis engañado!

–¡No se puede jugar así con la ilusión de las personas!

–¡Que nos devuelvan el dinero de las entradas!

–Pero si la entrada al campo ha sido gratis... –se defendió el director.

–¡Pues que nos paguen una indemnización por daños morales!

–¡Esto es una estafa!

–¡Un poco de tranquilidad, os lo pido por favor! –pidió Esteban–. Seguro que el señor Simeone tiene sus buenas razones para retrasarse o para no venir. Lo importante aquí son los niños y...

–¡Ladrón!

–¡Estafador!

–¡Estaba anunciado que el Cholo vendría!

–¡Queremos al Cholo!

–¡Que venga de una vez!

–Ojalá estuviera en mi mano –continuó Esteban, que no sabía cómo calmar a la gente–. La verdad es que el colegio y yo mismo hemos sido utilizados. Si hay un responsable de todo, sin duda es... la persona que le invitó y la que empezó a avisar a la prensa... ¡Juana!

Ahora el director señaló a mi madre.

–¡Ella es la única culpable! –insistió.

–¡Pero, Esteban! –protestó mi madre–. ¿Cómo te atreves?

–¡Juana, te has inventado lo del mensaje! –gritó alguien entre el público.

–¡Menos Twitter y más humildad! –gritó otro vecino.

–¡Mentirosa!

Mi madre estaba a punto de estallar.

Agarró el micrófono con las dos manos y bramó:

–¡Silencio todo el mundo! ¡¡Ya está bien!! ¡¡¡Silencioooooo he dicho!!!

Por fin, la gente en la grada se calló.

Y mi madre siguió hablando.

–Aquí nadie ha mentido ni ha engañado –dijo muy seria–. Simeone contestó un mensaje diciendo que estaría aquí a las ocho. ¿Y sabéis por qué quería venir? No para que le hiciéramos fotos ni para firmar autógrafos ni nada de eso. Sino para apoyar a unos niños que están a punto de quedarse sin campo de fútbol. Por eso respondió y por eso iba a venir. Estoy segura de que, si no ha podido llegar, tendrá una razón importante y ya lo explicará. Siento mucho que algunos estéis defraudados. Yo también lo estoy. Pero lo importante es el motivo que nos ha reunido hoy aquí. Los niños y el fútbol. Con el Cholo o sin él... ¡que empiece el partido!

Algunos la aplaudieron tímidamente.

Entre otros, mi padre y algunos del colegio.

No fue una gran ovación, pero al menos dejaron de gritarle cosas.

Aprovechando que la gente se había calmado un poco, enseguida retiraron el micrófono y la copa y se preparó todo para que diera comienzo el partido.

El árbitro y los jugadores de ambos equipos saltaron al terreno de juego.

Yo estaba junto al banquillo.

Me acerqué a los entrenadores.

—Ahora que no ha venido Simeone —le dije a Alicia—, ya no hace falta que me siente en la grada. A lo mejor puedo jugar de titular.

—La alineación está decidida —dijo ella—. No sería ético quitar ahora a Rosita del equipo.

No estoy muy seguro de lo que significa la palabra «ético», pero estaba claro: me quedaba de suplente.

Me senté junto a Anita y Ocho.

—¿Entonces Simeone no viene? —me preguntó Ocho.

—No lo sé —respondí.

—Pues vaya.

Eso mismo digo yo: pues vaya.

Como había dicho mi madre, seguro que tenía alguna razón por la que no había podido llegar.

Pero la verdad es que estaba muy decepcionado.

Pensé que, con un poco de suerte, llegaría durante el partido.

Me fijé en que varias personas de la grada abandonaban el campo. No habían ido a ver el partido; solo se habían acercado para ver al Cholo.

Entonces, un clamor empezó a escucharse en la parte derecha de la grada.

Eran las madres y los padres del Cerrillo.

Habían permanecido en silencio durante un rato; pero ahora que empezaba el torneo, volvieron a la carga.

Con más fuerza si cabe.

–¡Vamos, chicos, atizad a esos mindundis del Soto Alto! –gritó una mujer enfundada en un gran anorak amarillo.

–¡A machacarlos!

–¡Y mucho ojo, árbitro, que te estamos vigilando!

La verdad es que daban miedo.

Todos a un tiempo, volvieron a corear su grito de guerra:

–¡Correr y atizar! ¡Correr y ganar!

Y otra vez:

–¡¡¡Correr y atizar!!! ¡¡¡Correr y ganar!!!

Toni tenía el balón en el centro del campo, preparado para sacar.

En la distancia, crucé una mirada con Helena.

Y otra con Rosita.

Las dos parecían muy concentradas.

El árbitro hizo sonar el silbato.

Piiiiiiiiiiiiiiiiiiiiiiiiiiiiii...

Y dio comienzo el partido.

TONI SACA DE CENTRO Y PASA A HELENA.

INMEDIATAMENTE, LE HACEN UNA ENTRADA BRUTAL.

¡BRAVO!

¡ASÍ SE JUEGA!

¡DADLES CAÑA!

TONI HA QUEDADO EN EL SUELO, PERO EL ÁRBITRO NO PITA NADA.

HELENA, ASUSTADA, VE CÓMO ROMEO VA DIRECTO A POR ELLA.

Las dos hermanastras se abrazaron para celebrar el gol.

A su alrededor, todos gritábamos entusiasmados:

–¡Gol, gol, gooooooooooooooooooool...!

Yo creo que era la primera vez en mucho tiempo que el Cerrillo recibía un golazo así.

Tan pronto.

Tan rápido.

Y con una jugada tan espectacular.

Había sido una pared increíble.

Estratosférica.

Al primer toque.

Entre las dos habían hecho un jugadón.

Y Rosita había rematado con un tiro imparable.

Ni las patadas, ni los empujones, ni las amenazas, ni las zancadillas...

¡Nada las había podido detener!

Daba la sensación de que era la primera vez que Helena y Rosita se abrazaban.

A lo mejor su padre tenía razón y el fútbol las unía.

Desde luego, si metían goles así, podrían jugar juntas siempre que quisieran.

–Enhorabuena –le dijo Helena a Rosita.

–Enhorabuena a vos –contestó su hermanastra–. Fue quien comenzó la jugada.

Todo el mundo lo celebraba con aplausos y abrazos.

Todos excepto los jugadores del Cerrillo.

Y sus familiares, claro.

De nuevo empezaron a oírse en la grada algunos gritos muy desagradables:

–¡Árbitro, cegato, ha sido fuera de juego!

–¡Gol ilegal!

–¡Hay que anularlo!

–¡Como no lo anules, te vas a enterar!

Las madres y los padres del Cerrillo se pusieron como locos.

Comenzaron a insultar y amenazar al árbitro.

No había sido fuera de juego. Pero a ellos parecía darles igual. Querían armar camorra. Querían ganar a toda costa, como fuera.

Mi padre y los policías que le acompañaban se encaminaron hacia esa zona de la grada para intentar tranquilizar los ánimos. Por suerte, había bastantes agentes.

–¡Un poco de calma, señoras y señores, por favor! –dijo mi padre dirigiéndose a los hinchas del Cerrillo.

–¡Huyyyyy, el policía municipal del pueblo! ¡Qué chulito! –dijo la señora del anorak amarillo.

–¡A nosotros nadie nos dice lo que tenemos que hacer! –respondió otro hombre que llevaba una bandera enrollada en la mano.

–¡Además, que no hemos hecho nada! ¡A ver si ahora no se va a poder gritar en un partido de fútbol!

Cada vez estaban más exaltados.

Incluso se metían con la policía.

Se ve que eso de recibir un gol en el primer minuto no les había sentado nada bien.

–Bueno, bueno... Perdón si me he expresado mal –suspiró mi padre, que no quería problemas–. Aquí nadie les dice lo que tienen que hacer.

–¡Pues alguien debería decírselo! –soltó mi madre desde el otro lado de la grada–. ¡Y no les pidas disculpas, Emilio, que son unos energúmenos!

–¡Juana, por favor! –trató de callarla mi padre para evitar males mayores.

Pero era demasiado tarde.

En cuanto oyeron la palabra «energúmenos», varios padres y madres saltaron al terreno de juego.

–¡No hemos venido a que nos insulten!

–¡Te vas a enterar, sabionda!

–¡A por ella!

–¡A por la listilla!

Parecían dispuestos a ir a por mi madre y empezar una pelea.

Menos mal que había casi una docena de policías acompañando a mi padre.

Entre todos formaron una especie de barrera entre las dos aficiones e impidieron que llegaran a las manos.

Aunque, por supuesto, siguieron gritando y lanzando amenazas.

No había visto nada igual en ningún partido. Cuando jugamos contra ellos en la primera vuelta, nos metieron tal goleada que estaban mucho más tranquilos.

Ahora que habían empezado perdiendo, estaban más exaltados que de costumbre.

Mientras eso ocurría en la grada, los jugadores permanecíamos en el campo observando el espectáculo.

Al contrario de lo que sucede en un partido normal, aquí éramos los jugadores los que mirábamos a los espectadores.

Los propios niños y niñas del Cerrillo estaban asustados de ver a sus padres comportándose así.

Además, aquella bronca tenía pinta de eternizarse.

Los del Cerrillo no parecían dispuestos a ceder.

Se habían detenido delante de la barrera policial, pero seguían gritando.

–¡Esto es un robo!

–¡Nos han visto cara de idiotas!

–¡Se están riendo de nosotros!

Una de las más exaltadas exclamó:

–¡Después del partido, os vamos a quemar el campo!

A lo que mi madre le respondió:

–¡Pero si el campo lo van a derribar mañana! ¡Incendiad lo que queráis, ignorantes!

Mi padre le hizo un gesto de súplica, pero mi madre no estaba dispuesta a callarse.

El árbitro permanecía alejado de todo el lío, en la otra punta del campo, con cara de susto.

Pensé que tendría que pasar algo muy gordo para que se tranquilizaran y el partido pudiera continuar.

Como, por ejemplo, que apareciera de repente el Cholo.

Eso sí que sería genial.

Que entrara en el colegio en ese preciso instante.

Seguro que todos se calmaban.

Dicen que si deseas algo con mucha fuerza, puede ocurrir.

Me giré hacia la puerta del colegio y pensé: «Que aparezca el Cholo, que aparezca el Cholo...».

Oía los gritos detrás de mí.

Pero yo solo tenía una cosa en la cabeza: «Que llegue Simeone, por favor».

Eso lo solucionaría todo.

Entonces...

¡Apareció un coche negro en la entrada del colegio!

Lo prometo.

Era un coche enorme.

No me lo podía creer, pero era verdad.

El automóvil entró en el patio y se dirigió hacia el campo, cruzando sobre la nieve.

Levanté la mano señalando hacia el coche y grité con todas mis fuerzas:

–¡El Cholo!

Inmediatamente, se hizo el silencio.

Dejaron de gritar y de insultarse.

Y todos los presentes se dieron la vuelta.

El alcalde pegó un brinco en su asiento.

Esteban casi se cae de la grada.

Mi madre y los demás se olvidaron de la discusión con los del Cerrillo.

Ellos también se quedaron mudos.

Incluso los policías observaban la escena atónitos.

El gran vehículo negro se detuvo detrás de una de las porterías, con las luces encendidas.

Nadie se atrevió a mover ni un músculo.

El primero en bajar fue el chófer, que llevaba un traje oscuro.

Se dirigió a la puerta de atrás.

Y la abrió.

La expectación era enorme.

Los pocos periodistas que aún no se habían ido se acercaron con sus cámaras, intentando colocarse en una buena posición.

Del asiento trasero surgió una pierna.

Luego, otra.

Y por fin apareció el ocupante del coche.

Era un hombre muy grande, con un abrigo negro que le cubría hasta los pies y una larguísima nariz.

¿¡Eh!?

–Pero ese no es el Cholo –protestó uno de los periodistas, decepcionado.

Era...

Era...

¡El señor Villarroel!

Se dio cuenta de que todos le mirábamos.

Dio unos pasos.

Y dijo:

–Buenas noches. Me he retrasado un poco porque estaba preparando unos documentos.

Mostró unos papeles que llevaba en la mano.

–Es el contrato de compraventa del campo de fútbol del Soto Alto –continuó–. Ya sé que habíamos quedado mañana lunes para firmarlo, pero he cambiado de idea: mi oferta de compra acaba hoy. Si al terminar el partido no se firma este contrato, no habrá trato. ¡Ah!, y además he bajado mi oferta económica a la mitad. Eso es lo que hay. Lo toman o lo dejan.

–Pero teníamos un acuerdo –intervino Esteban desde la grada.

–Pues he cambiado de opinión –respondió Villarroel, orgulloso–. O se firma hoy por este precio, o no compro el campo. No me gusta que me tomen el pelo llamando a famosillos para impedir mis negocios.

–Simeone no es un famosillo –protestó mi madre–. Mucho cuidado con lo que dices.

Varios de los periodistas se dieron la vuelta.

–Nosotros nos vamos –dijo uno.

–Estas rencillas de pueblo no nos interesan –añadió otro.

–Aquí no viene el Cholo ni viene nadie –sentenció el primero.

Y se alejaron hacia la salida del colegio.

La madre del anorak amarillo se dirigió a Villarroel:

–Perdona, Eusebio, pero cuando has llegado estábamos a punto de liarla y montar una buena pelea.

–Es que nos han metido un gol nada más empezar el partido –añadió otra de las madres.

–Y en fuera de juego –aseguró uno de los padres rascándose la cabeza–, me parece.

Villarroel valoró la situación.

Miró a un lado y a otro.

–Hum –dijo al fin–. Esto es lo que vamos a hacer: nos vamos a sentar todos a ver el partido con mucha calma. Mi hijo y sus compañeros van a ganar el torneo como sea, ¿verdad?

Romeo asintió.

–Sí, papá, lo que tú digas.

–Y en cuanto acabe el dichoso partido y nos llevemos la copa de oro, vamos a firmar este contrato que tengo en la mano –zanjó Villarroel–. En caso contrario, el colegio Soto Alto será embargado por el banco y me encargaré personalmente de que echen a todos sus ocupantes en menos de una semana.

–¿Por qué tienes tanta tirria a nuestro pueblo y al Soto Alto, hombre? –preguntó el alcalde–. ¿Qué te hemos hecho?

–Siempre os habéis creído mejores que nosotros. No os soporto –respondió Villarroel–. Y además, que esto no es personal, es un asunto de negocios. En resumen: primero os vamos a machacar en el terreno de juego, y después vamos a humillaros y a cerrar el campo para siempre. De una forma u otra, eso es lo que va a ocurrir.

Los hinchas del Cerrillo respondieron entusiasmados:

–¡Así se habla!

–¡A por ellos!

–¡Correr y atizar! ¡Correr y ganar!

Más que padres y madres de un equipo de fútbol, parecían una banda callejera, y Villarroel, su jefe.

Volvieron a la grada entre cánticos y gritos.

El árbitro, desconcertado, preguntó:

—Entonces, ¿ahora qué pasa?

—Pues que el partido continúa y que más vale que todos estemos tranquilitos —dijo mi padre—. Eso es lo que pasa.

Los espectadores de uno y otro bando regresaron a la grada.

Villarroel se sentó junto a Esteban y el alcalde como si tal cosa. Parecía que su ultimátum iba muy en serio.

Los policías se colocaron detrás de los banquillos, por si acaso.

Y los jugadores se prepararon para sacar de centro.

Por lo visto, eso de los deseos no siempre funciona como uno quiere.

El que había llegado en ese coche no era Simeone precisamente.

Aunque lo cierto es que el partido se iba a reanudar.

Romeo miró a Helena, Rosita y Toni, que estaban delante de él.

Apretó los dientes y dijo:

—Os vais a enterar.

En cuanto el balón se puso en movimiento, empezó el espectáculo.

O, mejor dicho, la batalla campal.

Los jugadores del Cerrillo se olvidaron de jugar.

Durante los siguientes minutos, solo hicieron una cosa: repartir golpes, patadas y empujones.

Zancadilla terrible a Helena.

Empujón con las dos manos a Toni.

Codazo en la cara a Rosita.

Entrada por detrás a Marilyn.

¡Así todo el tiempo!

–¡Falta, árbitro! –protestó Alicia.

–¡Falta y tarjeta! –grito Felipe.

Pero el árbitro no pitaba nada. Había decidido permitir que el juego continuara sin intervenir.

Aquello no era un partido de fútbol.

Era un combate donde todo valía.

A cada golpetazo, los padres y las madres del Cerrillo lo celebraban como si hubieran metido un gol.

–¡Así se juega!

–¡Ole, ole y ole!

–¡Bien hecho!

–¡Bravo!

Al ver aquello, Bernardo trató de protestar:

–¡Es una carnicería! ¡Que detengan el encuentro, por favor!

Enseguida le respondieron desde la otra grada:

–¡Esto es fútbol de verdad!

–¡Cobardes y pringados, fuera de aquí!

Incluso Marimar, que no se llevaba muy bien con él precisamente, se levantó a defenderle:

–¡Ya está bien de insultos! ¡Hemos venido a jugar al fútbol, no a pelearnos! ¡Exigimos juego limpio!

Los padres y las madres del Cerrillo se rieron al escucharla.

–Huy, sí, limpísimo. Ja, ja, ja, ja, ja, ja, ja, ja...

—¡Llamad a Simeone para que os defienda!

—¡Eso, eso, que venga el Cholo a cuidar a vuestros niñitos!

Mi madre estaba que echaba humo por las orejas.

Intentando contenerse para no saltar.

Vi que mi padre le hacía gestos suplicándole que se calmara.

Entonces se escuchó un grito en el campo, al borde de nuestra área.

Tomeo cayó al suelo y levantó la mano:

—¡¡¡Ayyyyyyyyyyyy!!! ¡¡¡Duele!!!

Romeo le acababa de pegar un patadón en el tobillo para quitarle el balón.

Aprovechó que el árbitro no sabía si pitar o no para seguir con la jugada.

Controló el balón con la pierna derecha.

Camuñas salió de la portería para intentar evitar que rematase, moviendo mucho los brazos y pegando botes.

—¡Banzaiiiiiiii! —exclamó.

Al ver que el portero saltaba sin parar, el capitán del Cerrillo remató con todas sus fuerzas.

Un tiro raso y colocado.

El balón surcó la nieve.

Pasó por debajo de Camuñas.

Y... entró en la portería.

¡Gol del Cerrillo!

Romeo le pegó un empujón en el hombro a Camuñas.

—Hala, ya puedes seguir pegando saltitos —le dijo.

Y, a continuación, levantó los brazos en señal de celebración.

—¡Gooooooooooooooooooooooool! —exclamó.

Los hinchas del Cerrillo se volvieron locos en la grada.

Saltaron.

Se abrazaron.

Pegaron botes.

Y, por supuesto, gritaron.

—¡Así se hace!

—¡Eso sí que es un golazo!

–¡Oé, oé, oé!

–¡Caña a los rivales!

Y todos a la vez:

–¡Correr y atizar, correr y ganar! ¡Correr y atizar, correr y ganar!

La alegría había durado poco para nosotros.

En unos minutos nos habían atizado.

Y encima habían metido un gol.

Miré el marcador:

Soto Alto, 1 - El Cerrillo, 1.

Nuestros entrenadores estaban indignados.

Se movían de un lado a otro, al borde del campo, protestando desesperados.

–¡Ha sido falta, árbitro! ¡Casi le rompe la pierna al defensa! –gritó Felipe.

Tomeo se levantó a duras penas, ayudado por Marilyn.

–No os preocupéis. Estoy bien –dijo.

Pero la verdad es que nuestro defensa central iba cojeando.

Igual que otros jugadores.

El árbitro intentó ignorar los gritos y los abucheos y señaló el centro del campo para que el partido continuara.

–¡Estás muerto de miedo, arbitrucho! –saltó Alicia–. Así no se puede arbitrar. ¡Por el amor de Dios, ya está bien!

El árbitro ni siquiera la miró.

En otro momento, yo creo que habría sacado tarjeta a la entrenadora.

Sin embargo, aquel día, parecía que lo único que el árbitro quería era no meterse en problemas. Ni con unos ni con otros.

–Alicia, por favor –intervino mi padre–, un poco de tranquilidad. Hay que dar ejemplo a los niños.

–Ya, ya... Mucho ejemplo –respondió ahora mi madre desde su asiento, puesta en pie–. Pero ya lo has visto: nos lesionan, nos machacan y encima tenemos que darles las gracias por comprar nuestro campo.

–Eso no es así tampoco –dijo mi padre.

–Pues ya me dirás cómo es, Emilio. Se están riendo de nosotros y nadie hace nada.

–Yo hago lo que puedo –aseguró él–. Estoy aquí para mantener la paz. Y lo de comprar el campo no tiene nada que ver, no mezclemos las cosas.

Los hinchas del Cerrillo empezaron a corear en ese momento otro estribillo:

–¡Se siente, se huele: Soto Alto tiene miedo!

Cada vez gritaban más fuerte:

–¡¡¡Se siente, se huele: Soto Alto tiene miedo!!!

Villarroel seguía sentado tranquilamente, disfrutando del espectáculo. Desde que él había llegado, todo estaba saliendo según lo previsto.

Esteban y el alcalde, a su lado, tenían cara de circunstancias.

En el campo, alguien trató de animarnos.

–¡Venga, equipo! –dijo Rosita–. ¡Vamos a demostrarles quiénes somos!

–¿Y quiénes somos? –preguntó Angustias.

–Pues somos el Soto Alto –exclamó ella, convencida–. Y, sobre todo, somos... los Futbolísticos.

–Futbolísimos –le corrigió una vez más Marilyn.

–Pues eso –dijo Rosita–. Nunca nos damos por vencidos.

Y puso una mano en el medio.

Inmediatamente, Toni y Helena y los demás se acercaron y pusieron sus manos sobre ella.

Anita, Ocho y yo mismo salimos corriendo del banquillo y también pusimos nuestras manos encima.

Permanecimos los diez unos segundos allí, unidos.

Era extraño que fuera una recién llegada quien dijera aquello, pero tenía toda la razón.

–¡Futbolísticos siempre unidos! –exclamó Rosita.

–¡Siempre unidos! –gritamos todos a la vez.

El árbitro hizo sonar el silbato para que volviéramos al banquillo.

–Venga, jugadores, cada uno a su sitio –dijo–. Hay que sacar de centro.

Al regresar a la banda, Felipe me preguntó:

–¿Qué es eso que habéis dicho de «futbolísticos»?

Me encogí de hombros, disimulando.

–Nada –respondí–. Cosas de la hermanastra argentina.

La jugada empezó exactamente igual que el primer gol.

Toni sacó de centro.

Nada más hacerlo, un defensa del Cerrillo le arreó una patada.

El balón llegó a Helena, que, al ver a Romeo corriendo hacia ella, le pasó a Rosita.

La hermanastra echó a correr con la pelota en los pies.

Todo era igual: parecía calcado de la primera jugada del partido.

Nos pusimos todos en pie, atentos, conteniendo la respiración.

Los padres del Cerrillo se quedaron con la boca abierta. No podían creer que fuera a ocurrir lo mismo otra vez.

Rosita y Helena parecían lanzadas.

Imparables.

Dispuestas a demostrar que ellas se dedicaban a jugar al fútbol, no a dar patadas.

La pelirroja se disponía a pasarle el balón y hacer de nuevo la pared que tan buen resultado les había dado...

Cuando, de pronto, pasó algo inesperado.

Sin que se diera cuenta, al mismo tiempo que la defensa número 3 iba hacia ella, se acercó alguien más por detrás.

Otro jugador del Cerrillo.

Pero no un jugador de campo.

¡Un jugador que había salido del banquillo!

El suplente, un chico muy alto y delgado con un largo flequillo, le pegó un tremendo empujón a Rosita.

Evidentemente, ella no le vio venir y cayó al suelo de bruces, estampándose contra la nieve.

–¡Árbitro, esto es demasiado! –estalló Alicia–. ¡Es falta! ¡Y además es un suplente! ¡No puede entrar al campo así como así!

El árbitro se quedó un momento sin saber qué hacer.

Pero antes de que pudiera pitar nada, la señora del anorak amarillo intervino desde el público:

–¡Ha sido un cambio legal! ¡El número 8 ha salido del campo y el nuevo ha entrado en su lugar!

Al escuchar su número, el 8, que aún seguía dentro del campo, dio un paso atrás delante de todos.

Y dijo:

–Es verdad, ha entrado a jugar en mi puesto.

Era el colmo.

No solo insultaban, amenazaban y daban golpes.

Además, mentían descaradamente.

Por supuesto, aquel no era un cambio legal.

Se trataba de un jugador del banquillo que había entrado sin permiso y que le había hecho una falta peligrosa a Rosita.

Los sucios del Cerrillo eran muy... sucios.

No contento con eso, el chico del flequillo recuperó el balón y corrió hacia nuestro campo, empezando un contraataque.

El árbitro, desconcertado y asustadísimo, hizo un gesto para que el partido continuara.

–Sigan, sigan.

–¡Madre mía! Este árbitro no tiene vergüenza –suspiró Alicia, desesperada.

En unas pocas zancadas, el jugador del Cerrillo se plantó cerca de nuestra área.

Tenía las piernas muy largas, corría que daba gusto.

Angustias salió a taparle.

En lugar de intentar un regate o pasar el balón, el chico le señaló y le dijo amenazante:

–¡O te apartas o te zurro!

Ante algo así, Angustias tardó medio segundo en echarse a un lado.

–Pasa, pasa, por favor –dijo.

Eso fue exactamente lo que hizo el jugador del Cerrillo.

Entró al área con el balón controlado, sin oposición alguna.

Por el otro lado llegaban corriendo Romeo y otra jugadora de su equipo.

Pegados a ellos venían Marilyn y Tomeo, intentando cubrirlos como podían, recibiendo codazos y empujones.

–¡Esta vez me quedo bajo los palos! –gritó Camuñas bajo la portería, dándose ánimos a sí mismo–. ¡Soy el número uno, el portero del Soto Alto, el mejor portero de mi familia...! ¡Soy el...!

No pudo terminar la frase.

¡BLAM!

Un tremendo balonazo le impactó en el rostro.

El flequillos había rematado con todas sus fuerzas.

El balón rebotó en la cara de Camuñas, que cayó de rodillas, dolorido.

—Ayyyyyyyyyy... ¡La nariz! —se lamentó mi amigo, llevándose las manos al rostro.

Del rechace, la pelota había quedado muerta en mitad del área.

Cinco jugadores corrían desesperados hacia el balón: Marilyn, Tomeo, Romeo, el flequillos y la delantera del Cerrillo.

¿Quién llegaría antes?

Era una carrera que podía valer un gol.

Sin embargo, el flequillos no fue hacia el balón, sino que cambió de rumbo.

De repente, se tiró descaradamente sobre Tomeo y ambos rodaron por el suelo.

¡Había sido un placaje de rugby!

La otra jugadora del Cerrillo hizo lo mismo con Marilyn.

Las dos cayeron sobre la nieve.

Con Camuñas lamentándose en el suelo y el resto fuera de combate, Romeo llegó solo hasta el balón.

Lo empujó con toda tranquilidad.

Sin nadie que se lo impidiera.

Se metió dentro de la portería con la pelota en los pies.

¡Gol del Cerrillo!

El segundo de su equipo.

Y el segundo de Romeo.

Enseguida empezaron a oírse los aplausos y los gritos enfervorizados de los hinchas, que movían sus banderas amarillas entusiasmados.

—¡Se siente, se huele: Soto Alto tiene miedo!

El panorama en el campo era terrible.

Camuñas, Helena, Toni, Rosita, Marilyn y Tomeo en el suelo, doliéndose de los golpes que acababan de recibir.

Y mientras, los rivales, con Romeo a la cabeza, celebrando el gol y abrazándose.

El único que iba por libre era Angustias.

—Yo me he apartado para evitar males mayores —se excusó.

Aquello tenía cada vez peor pinta.

No solo iban ganando.

Y tenían al árbitro atemorizado.

Sino que casi todos nuestros jugadores estaban lesionados.

Alicia se subía por las paredes. Estaba a punto de saltar al campo para encararse con el árbitro.

Felipe tuvo que sujetarla.

—Por favor, que solo es un partido amistoso —le pidió—. No la liemos.

—No es un partido amistoso —replicó ella—. Es... una humillación, como ha dicho Villarroel.

—Aguanta, por favor —le pidió el entrenador—. Tenemos que dar ejemplo.

—¡Y dale con el ejemplo! Estoy harta, muy harta. ¡Arggggggggggg!

Alicia le dio una patada a una botella de agua.

Con tan mala suerte que la botella, que era de plástico, salió disparada y cayó en mitad del campo.

Nada más verlo, las madres y los padres del Cerrillo empezaron a increparla.

—¡Tirando objetos al terreno de juego!

—¡Árbitro, la entrenadora ha lanzado una botella!

—¡Y luego dicen que los violentos somos nosotros!

—¡Que alguien la detenga!

—¡Esa entrenadora es un peligro!

El árbitro, al darse cuenta, hizo lo único que podía hacer.

Se llevó la mano al bolsillo.

Y le sacó tarjeta amarilla a Alicia.

–¿¡Qué!? –exclamó ella–. No pitas ni una falta, te tragas el silbato del miedo que tienes... ¿y ahora me sacas tarjeta a mí por una botellita de plástico?

–Lanzamiento de objeto contundente al campo, tarjeta –dijo el chico, como si estuviera recitando de memoria el reglamento.

–¡Ha sido sin querer, lo ha visto todo el mundo! –repuso Alicia–. Y, por cierto, qué bien te sabes las normas para lo que quieres, ¿eh? Te voy a denunciar al comité de árbitros. ¡Esto no va a quedar así!

Desde la grada empezaron a abuchearla.

–¡Uuuuuuuuuuuuuuuuuuuh! ¡Fuera! ¡Camorrista!

–¡Pero si los camorristas sois vosotros! –respondió.

–Una palabra más y le saco tarjeta roja –advirtió el árbitro.

–Alicia, silencio ya. Por el bien del equipo –le suplicó Felipe–. Yo me encargo, por favor.

La entrenadora movió la cabeza, contrariada, y aunque no estaba de acuerdo, al fin se quedó callada y regresó al banquillo.

Mi madre trató de animarla desde la grada:

–¡Estamos contigo, Alicia! ¡Si además ha sido una botellita de Fuensana, que es la mejor agua mineral del mundo!

–A mí me gusta más Clarazul –dijo mi padre.

–No compares, por favor, Emilio –repuso mi madre–. ¡Además, que el agua de Fuensana es de un manantial de aquí al lado!

–¡Fuensana está cerca de nuestro pueblo, no del vuestro! –gritó la mujer del anorak amarillo.

–¡Los de aquí siempre queréis quedaros con todo! –siguió otro de los hinchas del Cerrillo–. ¡Ya está bien! ¡Fuensana es nuestra!

–¡Sí, hombre, sí, lo que tú digas! –repuso mi madre–. Pero vamos, que te pongas como te pongas, el manantial está más cerca de este pueblo.

Ahora se enzarzaban por el agua mineral.

Mientras los mayores seguían discutiendo una vez más, los integrantes del equipo del Soto Alto se fueron incorporando, con algunas magulladuras, y se prepararon para sacar de centro.

El partido tenía que continuar.

Esta vez no hubo gritos de ánimo de Rosita ni de ningún otro.

Creo que todos estaban pensando lo mismo: que se acabara aquello cuanto antes.

Era un infierno.

Y cuanto más durase, más golpes recibirían.

El árbitro pitó y el balón se puso en marcha otra vez.

Miré el marcador:

Soto Alto, 1 - El Cerrillo, 2.

–Pakete, tengo que pedirte un favor.

Me di la vuelta y vi que había alguien junto al banquillo: Bernardo.

Se tocó el bigote y repitió:

–Tengo que pedirte un favor muy importante.

Nos alejamos a un extremo del campo, un poco más allá del córner. Allí estábamos los dos solos, no nos escuchaba nadie.

El padre de Helena parecía muy preocupado.

Me miró y suspiró.

El vaho salía de su boca.

—Te lo voy a decir de una vez —murmuró.

¿Qué sería eso tan importante?

¿Por qué le costaba tanto?

¿Tendría algo que ver con el gimnasio?

¿Iba a confesar que nos encerró él?

Bernardo dijo:

—Quiero que convenzas a Helena para que se venga a vivir conmigo.

¿¡Qué!?

Lo dijo como si fuera lo más normal del mundo.

Por si acaso no le había entendido bien, le pregunté:

—¿Que yo la convenza para que se vaya a vivir a Buenos Aires?

—Eso es.

—¿Y por qué?

—Pues porque es lo mejor para ella.

Me lo estaba diciendo muy en serio.

Pretendía que yo convenciera a mi amiga para que se fuera a la otra punta del mundo.

—Pero yo...

—Ya, ya —me cortó—. Ya sé que tú no quieres que se vaya, y lo entiendo perfectamente. Pero te garantizo que la voy a cuidar muchísimo y que va a estar fenomenal y que vendrá en vacaciones y os seguiréis viendo.

—Es que ella no quiere irse —repliqué.

—Por eso mismo, necesito tu ayuda. Incluso su madre está de acuerdo. Le da mucha pena que se vaya, pero entiende que es bueno que pase un año con su padre, o sea, conmigo. Por lo menos un curso.

—Un año es mucho tiempo.

—Va a ir a un colegio genial —insistió—, con campos de fútbol y piscina, y aprenderá cosas nuevas y va a ser una experiencia muy buena para ella, y además podrá conocer mejor a su hermanastra. Ya has visto que si están juntas pueden llegar a llevarse bien. Y lo más importante: podrá estar conmigo después de tanto tiempo. La echo muchísimo de menos. Y, por lo que me ha dicho Marimar, ella también me echa de menos a mí.

Bernardo se estaba emocionando.

Menuda situación.

Quería que yo convenciera a Helena con hache para que se marchara, para que se fuera y dejáramos de vernos.

Ufffffffffffffffffff.

—Ya sé que solo eres un niño —continuó—. Pero lo que te pido es lo mejor para ella, y si en cualquier momento se arrepiente y quiere regresar, te prometo que la traeré de vuelta. Por favor, te lo suplico.

No sabía qué decir.

Yo no quería que Helena se fuera a vivir tan lejos.

—Aunque tratara de convencerla —respondí—, no creo que me haga caso.

—En eso estás equivocado —dijo—. A ti te escuchará. Más incluso que a su madre o a mí. Eres... Bueno, eres Pakete. Habla de ti a todas horas. Y una de las razones más importantes por las que no quiere irse es por ti.

—¿Habla de mí? —pregunté sorprendido.

—Pues claro, sin parar —respondió—. Ayúdame con esto. Y, sobre todo, ayuda a Helena a tomar la mejor decisión.

—No sé, es muy difícil...

–Por lo menos, piénsalo.

–¿Su madre también está de acuerdo? –pregunté.

Si incluso Marimar estaba dispuesta a separarse de su hija una temporada, tal vez yo podría sacrificarme.

Qué lío.

Bernardo asintió.

–Pregúntaselo si quieres –contestó–. Le duele, es su madre. Pero comprende que es bueno para Helena, y se lo ha dicho a ella. Solo falta que se lo digas tú también.

Sentí que era la decisión más difícil que había tomado nunca.

Aceptar que lo mejor para Helena era irse a Argentina.

No lo veía claro.

Si lo pensaba, podía entender las razones.

Pero no me gustaba que se fuera.

No quería.

Y mucho menos, ayudar a convencerla.

Lo que de verdad me salía era decirle: «Quédate aquí. Somos los Futbolísimos, no podemos separarnos nunca».

–Por favor –insistió Bernardo.

Detrás de nosotros se oyeron un pitido y un montón de gritos.

Nos giramos para ver qué ocurría en el campo.

¡Había terminado la primera parte!

Con el mismo resultado: 2 a 1.

Se oyeron los cánticos de los hinchas del Cerrillo.

Pude ver a mis compañeros a lo lejos, doloridos, caminando a trompicones hacia el vestuario.

Alicia y Felipe trataban de animarlos.

–Perdona. Tengo que ir con el equipo –dije.

–Por lo menos, dime que lo vas a pensar –me pidió Bernardo.

Vi a Helena caminando sobre la nieve, cojeando ligeramente mientras salía del campo. Seguro que en este rato le habrían pegado más de un empujón o una patada.

Detrás de ella iba Rosita.

Le dijo algo y Helena asintió.

Parecía que las dos hermanastras se estaban llevando mejor.

Yo no sabía qué era lo mejor para Helena.

No tenía ni idea.

No quería que se marchara.

Pero tampoco quería poner las cosas más difíciles.

–Lo voy a pensar –dije.

–Gracias –respondió Bernardo.

Y salí corriendo hacia el vestuario.

29

El panorama era desolador.

Mis compañeros estaban tirados sobre los bancos, llenos de golpes, de heridas y empapados por la nieve.

Había entrado el último en el vestuario.

–Qué desastre. No nos han metido más goles de milagro –dijo Toni, que parecía muy enfadado.

–Bueno, y porque yo he parado un mano a mano con la delantera –aseguró Camuñas.

–Es imposible jugar así. Son unos bestias –protestó Marilyn, que tenía una herida muy fea en la rodilla–. Y con el árbitro en contra.

–Está asustado –le justificó Anita–. Y, la verdad, no me extraña.

–Por mí, que se lleven el torneo y la copa y todo lo que quieran –soltó Tomeo agarrándose el tobillo–. No quiero seguir jugando, me duele muchísimo.

–Estoy de acuerdo –dijo Angustias.

–¡Pero si a ti no te han dado ni un golpe! –protestó Marilyn.

–Porque me aparto a tiempo, pero nunca se sabe. Yo voto por retirarnos y que se lleven la copa.

–Yo también.

–Y yo.

Alicia nos miró asombrada.

–Pero... ¿de verdad queréis que nos rindamos? –preguntó.

–Mujer, una retirada a tiempo es una victoria –intervino Felipe–. Mira cómo están los chicos: van a terminar todos lesionados.

La verdad es que estaban todos hechos una pena.

–Son unos vándalos –siguió Felipe–. Para evitar males mayores, lo más prudente es que se acabe el torneo ahora y que se lleven la copa. Esta semana, con calma, ya veremos qué pasa con el equipo después de que vendan el campo.

Aquello sonaba muy mal.

Sonaba a despedida.

¿Sería verdad que aquel podía ser el último partido del Soto Alto?

–Que levanten la mano los que estén de acuerdo conmigo –dijo el entrenador.

Angustias y Tomeo levantaron sus manos de inmediato.

Toni también levantó la mano.

—Estoy harto —se justificó.

Viendo al resto, Camuñas levantó su mano.

Anita y Ocho también.

—Yo, lo que diga la mayoría —musitó la portera suplente.

—Y yo —admitió Marilyn levantando la mano.

—Pues vale —dijo Helena, y también levantó su mano.

Incluso Rosita levantó la mano.

—Yo soy nueva aquí. No voy a llevarles la contraria a ustedes.

—Bueno, pues entonces ya está decidido —dijo Felipe—. Voy a comunicárselo al árbitro y al resto de autoridades. Cuanto antes, mejor.

—Te acompaño —dijo Alicia, cabizbaja y resignada.

Los dos entrenadores salieron del vestuario.

Los demás nos quedamos allí, en silencio, un poco tristes.

Nos miramos sin saber qué decir.

Una vez, hace tiempo, ya nos habíamos retirado de un partido, pero esto era distinto. Estaba en juego el futuro del campo. Y del equipo.

—Me da mucha pena —dijo Marilyn.

—No protestemos ahora —repuso Toni—. Lo hemos decidido entre todos.

—Entre todos no —dije.

Se volvieron hacia mí, extrañados.

–¿Qué quieres decir? –me preguntó Camuñas.

–Pues que yo no he votado –respondí.

–¿Y por qué? –preguntó Anita–. Por cierto, ¿dónde te has metido al final de la primera parte?

Respiré hondo.

–Estaba hablando con... Bernardo, el padre de Helena.

–¿Y eso qué tiene que ver ahora? –dijo Toni.

–¿Por qué hablabas con mi padre? –preguntó Helena.

–Pues... porque... quiere que te vayas a vivir con él.

–Eso ya lo sé –dijo mi amiga.

–Y tu madre también opina que puede ser bueno para ti –continué.

–Ya me lo han dicho todos, pero soy mayor –replicó Helena–
y puedo tomar mis propias decisiones.

–Es que yo...

Me costaba hablar.

Lo que tenía que decirle no era nada fácil.

–¿Tú qué? –preguntó Helena.

–Pues que yo... también creo que es mejor que te vayas a Argentina con tu padre –dije del tirón.

Y según lo dije, me sentí fatal.

No quería que se fuera. Pero si sus padres creían que era
bueno para ella, y si era verdad que Helena valoraba mi opinión... tal vez debía ayudarla a que se decidiera.

–¿Quieres que me vaya? –murmuró Helena, como si no pudiera creer lo que acababa de escuchar.

–No quiero –contesté rápidamente–. Solo creo que echas de menos a tu padre; siempre lo dices. Y que a lo mejor se merece una oportunidad. Y que hasta tu madre opina que deberías probar. Y que... Yo qué sé, no tengo ni idea. ¡Me da mucho miedo que te vayas y que te olvides de nosotros y de mí!

–Pase lo que pase, nunca me olvidaré –dijo ella–. ¿De verdad crees que debería probar?

–Tal vez sí –respondí–. Además, que el colegio de allí tiene piscina.

–¡Y cuatro campos de fútbol! –exclamó Rosita.

Helena no sabía qué decir.

La entendía perfectamente.

Era una decisión muy complicada.

–Ejem, perdón que interrumpa –intervino Marilyn–. Todo esto es muy emocionante y muy tierno y Helena es mi amiga también, pero... ¿qué tiene que ver con el partido que estamos jugando?

–Exacto –añadió Toni–, eso es lo mismo que he preguntado hace un momento.

–Pues tiene mucho que ver –dije mirándolos–. Porque si Helena se va, pase lo que pase con el campo, este será el último partido que juguemos todos juntos en muchísimo tiempo. No podemos rendirnos. Tenemos que salir al campo y seguir luchando. Jugar como un verdadero equipo. Y demostrar a todos que el fútbol es otra cosa. ¿Es que ya nos hemos olvidado del pacto que hicimos?

–Yo no me he olvidado –protestó Tomeo–, pero es que estoy lesionado...

–Y van a vender el campo.

–Y son unos bestias.

–Y el árbitro está en contra nuestra.

–Todo eso es cierto –dije–. Ellos son mucho más brutos y más grandes y tienen todo a su favor, incluyendo al árbitro. Pero nosotros tenemos algo que ellos jamás tendrán...

Mis compañeros me miraron con atención.

Totalmente convencido, dije:

–Nosotros somos... los Futbolísimos. Y nunca jamás nos rendimos.

Me subí a un banco y puse una mano en el medio.

–Vamos a jugar este partido por Helena y por los Futbolísimos. Es nuestro secreto, nadie más lo puede saber.

Helena se acercó y puso su mano sobre la mía.

–Gracias –dijo.

Después, Rosita hizo lo mismo.

–Son la repera en este pueblo.

Los demás también fueron poniendo su mano.

Toni protestó, pero al final la puso.

Solo quedaba Angustias.

–Yo pongo la manita –dijo acercándose–, pero sin estar muy convencido, que conste.

Estábamos en el centro del vestuario.

Muy juntos.

Con las diez manos unidas.

Miré a mis compañeros.

Helena estaba muy cerca de mí.

Dije:

—Vamos a jugar en equipo, como siempre hemos hecho. Vamos a remontar. Vamos a ganar la copa de oro. Y vamos a impedir que se venda el campo. Eso es lo que vamos a hacer.

—¿Y cómo vamos a hacer todo eso? —preguntó Camuñas.

—Pues no tengo ni idea —respondí—, pero algo se nos ocurrirá.

—¿Podemos dejar ya lo de las manos, que me duele todo en esta postura? —pidió Tomeo.

—Una última cosa —dije.

—¿Otra más?

—¿Quiénes somos? —pregunté levantando la voz.

—Los Futbolísimos —respondieron mis compañeros.

—¡No os oigo! —exclamé—. ¿¡Quiénes somos!?

—¡¡¡Los Futbolísimos!!! —gritamos los diez al mismo tiempo.

—¡Ahora sí! ¡A por ellos!

Y nos preparamos para salir al campo.

A jugar la segunda parte.

En las gradas había muchos menos espectadores.

Los periodistas habían desaparecido completamente.

La mayoría de los curiosos que vinieron al comienzo también se habían ido.

Hasta el presidente de la liga se había evaporado.

—Mucha suerte, chavales —dijo antes de irse—. Es que, a mi edad, estos fríos son muy peligrosos para el reúma.

—Yo me quedo porque soy el presidente de la Cofradía de los Santos Inocentes —reconoció el alcalde tosiendo—. Pero vamos, que ha sido un chasco todo esto.

Casi todos habían venido por el Cholo, no para ver un torneo de fútbol infantil.

Así que se habían cansado y se marcharon.

El ambiente era muy distinto en esta segunda parte.

Los gritos del Cerrillo se oían más si cabe:

—¡Correr y atizar, correr y ganar!

—¡Preparaos para recibir!

—¡A machacarlos!

—¡Dadles fuerte!

Estaban aún más agresivos que al principio.

Felipe y Alicia se encontraban delante del banquillo.

Nos miraban desconcertados.

—Hace un momento os queríais retirar —dijo Alicia—, y ahora queréis jugar. ¿En qué quedamos?

—Vamos a seguir hasta el final, pase lo que pase —dijo Marilyn, la capitana—. Por favor.

Los entrenadores se miraron.

—Está bien —dijo Felipe—. Por mí, adelante.

—De acuerdo, vamos a jugar —corroboró Alicia—. Solo os pido una cosa.

—¿Qué?

—Que no juguéis con miedo —afirmó—. Por mucho que amenacen y que jueguen sucio, no va a pasar nada, os lo garantizo. Pero tenéis que jugar con valentía. Tenéis que demostrar que sois un verdadero equipo, ¿estamos?

–Estamos –respondió la capitana.

–Hecho.

–Sin miedo.

–Todos juntos.

A continuación, los entrenadores nos dieron la alineación para el segundo tiempo.

Camuñas en la portería; Anita y Ocho en la defensa; Rosita, Helena y Toni en la media, y en la punta de ataque... Pakete.

¡Por fin iba a jugar!

Estaba deseando saltar al terreno de juego.

–Pero yo soy portera –murmuró Anita.

–No pasa nada –dijo Felipe–. Ya has entrado alguna vez como jugadora de campo, y Tomeo está lesionado.

–¿Y yo al banquillo? –preguntó Marilyn–. Me duele un poco la rodilla, pero puedo seguir.

–Vamos a jugar con dos defensas solamente –explicó Alicia–. Es mejor que descanses por el momento. Según vaya el partido, iremos viendo. Ya sé que todos queréis jugar, pero hay que pensar en el equipo.

–Por mí no os preocupéis –dijo Angustias–. Yo me sacrifico por el equipo.

Había que empezar.

Sin más, entramos al campo.

Los últimos fuimos Helena y yo.

–Pakete –me dijo ella.

–¿Qué pasa?

–Que todo eso que has dicho antes de mi padre y de Argentina... ha sido un gesto muy bonito. Te lo agradezco.

–No hay de qué.

–Pero quiero pedirte que seas sincero –susurró–. ¿De verdad crees que debería irme a vivir a Buenos Aires? ¿Sí o no?

Ufffff.

De pronto tuve la sensación de que mi respuesta era muy importante. De lo que yo dijera podían depender muchas cosas.

La miré, y en ese momento...

¡Sonó el silbato!

Piiiiiiiiiiiiiiiiiiiiiiiiiiiiiiiiii...

Daba comienzo el segundo tiempo.

Había que ponerse en marcha.

No podíamos perder ni un segundo.

Esta vez les tocó a ellos sacar de centro.

El flequillos le pasó el balón a Romeo.

Y en cuanto lo hizo, Toni y yo nos lanzamos a por él a toda velocidad.

Ya estaba bien de escondernos y quejarnos.

Ya estaba bien de tener miedo.

Teníamos que correr más.

Presionar más.

Luchar más.

—¡Atrás, pringados! —gritó Romeo al vernos venir.

En lugar de retroceder por sus gritos, Toni fue directo a por el balón.

El capitán del Cerrillo se lo quitó de un empujón.

Yo aproveché para golpear la pelota, que salió disparada hacia Helena.

—¡La tengo! —dijo ella.

Aprovechando que estaban adelantados, empezamos a correr a toda velocidad hacia su portería.

Al llegar al borde del área, Rosita recibió de Helena.

La hermanastra me pasó directamente a mí.

Antes de que me llegara la pelota, el número 5 me hizo una entrada con los pies por delante.

Tuve que saltar para que no me lesionara.

Aun así, caí al suelo y me di un buen golpe.

Al mismo tiempo, Rosita y Helena fueron empujadas por otros dos rivales.

¡Tres jugadores del Soto Alto al suelo al mismo tiempo!

Los hinchas del Cerrillo aplaudieron entusiasmados.

—¡Bien hecho! ¡Así se juega! ¡Más madera!

Una vez más, el árbitro no pitó nada.

Pero esta vez hubo una diferencia.

En lugar de quedarnos en el suelo protestando o lamentándonos, nos pusimos en pie y seguimos jugando.

–¡Juego limpio, árbitro! –grité.

–¡Eso, juego limpio! –exclamó también Helena.

En la grada, mi madre y otros nos escucharon y corearon:

–¡Juego limpio! ¡Juego limpio!

El árbitro hacía como que no iba con él, pero lo escuchaba claramente.

Nosotros seguimos presionando.

Demostrando a todos que no iban a poder con nosotros.

Que pasara lo que pasara, no nos rendiríamos.

La cosa siguió igual durante bastantes minutos.

Presionábamos, corríamos y recuperábamos la pelota.

Ellos nos empujaban y hacían faltas.

Pero seguíamos adelante.

Y volvíamos a recuperar el balón.

Una y otra vez.

Poco a poco, la gente en la grada se fue entusiasmando.

Vi a mi madre y a Bernardo y a Marimar saltando y animando.

A su lado y detrás de ellos, muchos otros padres y madres del colegio también aplaudían.

Igual que otros aficionados del pueblo que se habían quedado a ver el partido.

Hasta mi hermano Víctor, que hasta entonces había estado chateando por el móvil sin prestar atención, pareció interesarse.

Mi padre y el resto de policías vigilaban para que no ocurriera nada.

Los del Cerrillo coreaban cada patada que nos daban y animaban a los suyos a que siguieran jugando sucio:

—¡Sin piedad!

—¡Dadles caña!

—¡Que no pasen!

Mi madre y el resto de la gente del pueblo contestaban:

—¡Juego limpio! ¡Juego limpiooooooo!

Y en la parte central de la grada, el alcalde, Esteban y Villarroel observaban todo sin inmutarse, aparentemente.

El árbitro cada vez era más consciente de lo que estaba pasando: mientras ellos se dedicaban a repartir patadas, nosotros estábamos jugando al fútbol.

Incluso se animó a pitar alguna falta a nuestro favor.

Era como si se estuviese contagiando.

Habíamos dejado de tener miedo.

Nosotros.

El árbitro.

Y todos los que estábamos allí.

Entonces, en la mitad del segundo tiempo aproximadamente, ocurrió.

Una jugada lo cambió todo.

Camuñas sacó de portería con la mano hacia Ocho.

Inmediatamente, Ocho le pasó a Anita.

Ella se la dio a Rosita, que salió de un regate con el balón controlado.

Y se lo pasó a Toni.

En lugar de seguir chupando como solía hacer, Toni me pasó la pelota a mí, que estaba abierto en una banda.

Avancé tres o cuatro metros y le metí un pase a Helena.

Ella llegó justo por el otro extremo.

Controló el balón a la primera y entró en el área.

Habíamos tocado todos el balón.

¡Los siete!

Una verdadera jugada de equipo.

No sé si por agotamiento o porque habíamos movido el balón con mucha rapidez, el caso es que los del Cerrillo no fueron capaces de pararnos.

Helena entró en el área con el balón en los pies.

Directa hacia la portería.

Romeo la perseguía de cerca.

En la grada, los hinchas gritaban como locos:

—¡Que no se escape!

—¡Patadón y al suelo!

—¡A por ella!

Incluso Villarroel se levantó nervioso y exclamó:

—¡¡¡Vamos, hijo, dale, dale, dale, que no pase, que no chute!!! ¡¡¡Daleeeeee!!!

Romeo hizo un esfuerzo final y trató de quitarle el balón.

Pero no llegó a tiempo.

Antes de que pudiera empujarla o zancadillearla...

¡Helena disparó a puerta!

Le pegó al balón de rosca.

Un tiro colocado.

Perfectamente medido.

La pelota voló hacia la esquina de la portería.

El portero se estiró todo lo que pudo.

Pero no pudo detenerlo.

Era un chut imparable.

Llegó hasta la red.

¡Un auténtico golazo!

¡De Helena!

¡Del Soto Alto!

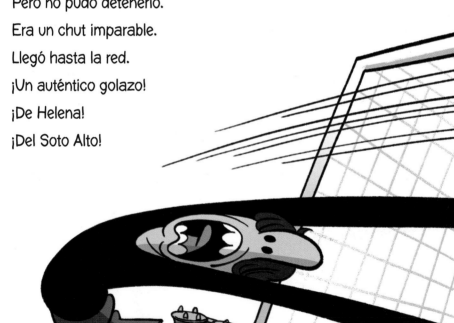

¡¡¡De los Futbolísimos!!!

¡GOOOOOOOOOOOOOOOOOOOL!

Alicia y Felipe, en el banquillo, se abrazaron emocionados.

En la grada, la gente gritó y aplaudió enfervorizada.

Mi madre levantó los brazos en señal de victoria.

–¡Sois los mejores! ¡Os quierooooo! ¡Bravo, bravo, bravísimoooo!

Y en el campo, todos nos tiramos sobre Helena para celebrarlo.

—¡Que me aplastáis! —dijo ella riéndose.

—¡Mirá qué bien mi hermanita! ¡La vamos a romper juntas, vos y yo! —exclamó Rosita dándole un beso en la frente.

Habían pasado de ser «hermanastras» a ser «hermanitas» y a darse besos.

Desde luego, era un cambio muy grande.

Las dos habían metido un gol aquella tarde.

Y habían sido dos golazos, la verdad.

—Habéis visto qué saque de portería he hecho, ¿eh? —dijo Camuñas, entusiasmado.

—Sí, hombre, sí —le dijo Toni.

Era un verdadero gol de equipo.

Los siete habíamos intervenido en la jugada.

Y Helena había rematado.

Estábamos entusiasmados.

Nos podríamos haber quedado allí toda la tarde celebrándolo.

Pero enseguida el árbitro ordenó que nos levantásemos.

—¡Arriba, jugadores! ¡Hay que continuar el partido!

Giré la cabeza hacia el marcador.

Soto Alto, 2 - El Cerrillo, 2.

Aún quedaba tiempo para remontar.

Había que seguir así.

Evitar que ellos marcaran.

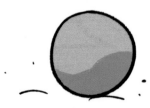

Y continuar presionando y corriendo.

Entonces, una voz resonó por todo el campo:

—¡Has dejado que marcara gol! ¡Eres un inútil, un inepto, un cero a la izquierda!

Era Villarroel.

Había saltado al campo.

Y le estaba echando una bronca tremenda a Romeo.

–¡Se acabó, estoy harto! –exclamó Romeo.

Se quitó la camiseta amarilla del Cerrillo.

Y la tiró al suelo, sobre la nieve.

–¡Me voy! –dijo–. ¡No juego más!

Y salió del campo, muy enfadado.

–¿Pero qué te pasa, si se puede saber? –preguntó su padre.

Villarroel recogió la camiseta del suelo. No entendía nada.

–¿Estás enfadado con el árbitro? –le preguntó a su hijo.

–¡No!

–¿Con los rivales?

–¡No!

–¿Con la niña esa que ha metido el gol?

–¡No!

–Entonces, ¿con quién?

Romeo se detuvo y negó con la cabeza, como si fuera imposible que le entendiera.

Miró directamente a su padre y le dijo:

–Contigo.

–¿Estás enfadado conmigo? –preguntó Villarroel, como si fuera la cosa más rara que hubiera escuchado en toda su vida.

–Pues claro –contestó él–. Contigo y con todos los padres que venís a los partidos y os comportáis siempre como unos bestias. ¡Estoy harto y, aunque no digan nada, mis compañeros también! ¡Solo queremos jugar al fútbol y que nos dejéis en paz!

Eso sí que no me lo esperaba.

Era lo último que habría pensado que diría Romeo.

Crucé una mirada con Helena, que estaba tan sorprendida como yo.

–Pero, hijo, si nosotros... –empezó a decir Villarroel– lo hacemos para ayudar... para que ganéis... Yo lo único que quiero es que seas un triunfador.

–¡Y yo lo único que quiero es jugar al fútbol! ¡No pegar patadas y pelear con todo el mundo! –estalló Romeo–. ¡Ya no puedo más! ¡Déjame en paz!

Y se dirigió hacia el vestuario, dejando a su padre con la palabra en la boca.

Villarroel no sabía qué hacer. Su figura negra, con aquella enorme nariz sobresaliendo del abrigo, parecía más sombría que de costumbre.

Entonces me señaló.

Y gritó:

−¡Todo esto es culpa tuya!

Yo di un paso atrás, asustado.

−¿Mía?

−¡Desde luego que sí! −exclamó rabioso−. Porque te crees mejor que los demás. Y por eso le escribes un mensaje a Simeone y le dices a la gente que va a venir y que va a impedir que yo compre el campo. ¿Dónde está ahora el Cholo, eh? ¿Por qué no ha venido? ¡Porque eres un mentiroso y un listillo!

−Pero es que... −intenté decir.

Villarroel me cortó:

−¡Y por eso habéis empezado con lo del juego limpio y le metéis ideas raras en la cabeza a mi hijo! ¿Qué significa de verdad eso de «juego limpio»? ¿Quieres que te lo diga? ¡Es una excusa porque ibais perdiendo el partido y ya no sabíais qué hacer! ¡No os soporto! ¡Ni a ti ni a tus amigos! ¡Voy a comprar el campo y a lo mejor no construyo nada! ¡A lo mejor lo cierro con una alambrada gigante de espino para que no entre nadie y dejo que se pudra!

Estaba muy alterado.

Pensé que le iba a dar algo.

Se le habían puesto las orejas rojas y le salía saliva por la comisura de los labios.

No me atreví a responderle.

Sin embargo, hubo alguien que sí lo hizo.

–¡No te has enterado de nada! –dijo Romeo, que había dado media vuelta y estaba regresando al campo.

Le quitó la camiseta de la mano.

–¡Él no tiene la culpa de nada! –continuó diciendo mientras me señalaba.

Romeo se puso de nuevo la camiseta y le soltó a su padre:

–¡La culpa la tenéis vosotros, que nos obligáis a ser unos vándalos y a jugar sucio! ¡Estoy harto de dar empujones y patadas en los partidos! ¡Estoy harto de que siempre la lieis vosotros y de que por vuestra culpa nos llamen «los sucios del Cerrillo»!

–¡Yo también estoy harto! –dijo el número 5 levantando la mano.

–¡Y yo!

–¡Yo también!

–¡Ya vale de insultar a los contrarios!

–¡Estamos hartos!

Parece que los jugadores del Cerrillo estaban de acuerdo en una cosa: no querían que sus padres siguieran insultando y amenazando a todo el mundo.

–Pero... –replicó Villarroel– si lo hacemos por vosotros. Desde que nos comportamos como unos energúmenos, vais los primeros.

Los otros padres y madres le dieron la razón, murmurando desde la grada.

–Eso es verdad.

–Antes ibais los últimos en la liga.

–Y no ganabais nunca.

–¡No queremos ir los primeros de la liga ni queremos que nos tengan miedo! –protestó Romeo.

–Entonces, ¿qué queréis? –preguntó su padre.

Romeo miró a sus compañeros.

Todos asintieron.

–Lo único que queremos es jugar al fútbol –respondió–. Tranquilamente. Sin más.

Después de esa contestación, se hizo el silencio.

Como si fuera una señal, empezó a nevar de nuevo.

Todos miramos hacia el cielo.

Caían pequeños copos de nieve.

–Si no les importa, tenemos que terminar el partido –intervino el árbitro–, antes de que las condiciones climatológicas empeoren.

–Sí, perdón. Ya vamos –respondió Romeo, y luego miró a su padre y al resto–. ¿Os vais a quedar callados y tranquilitos por una vez?

Villarroel se encogió de hombros, resignado.

–Si es lo que queréis...

Y volvió a su asiento en la grada, con la cabeza agachada.

–¿Entonces ya no tenemos que insultar a nadie? –preguntó la mujer del anorak amarillo.

–Parece que no –le respondió otro de los padres que la acompañaban, bajando la bandera.

–Qué alivio, la verdad –dijo ella.

Los hinchas del Cerrillo, por primera vez en todo el partido, se sentaron y dejaron de corear consignas amenazantes.

Fue un descanso para todos, incluidos ellos mismos.

El árbitro hizo una señal.

Sonó el silbato.

Y el partido se reanudó.

Íbamos empatados.

Quedaban pocos minutos.

Y por mucho que hubieran discutido entre ellos, no creo que las cosas fueran a ser sencillas.

El colegio seguía teniendo deudas muy abultadas.

Villarroel iba a comprar el campo.

Y tal vez solo teníamos una oportunidad de salvar al equipo: ganar la copa de oro.

Nada más sacar de centro, los jugadores del Cerrillo hicieron una gran jugada de ataque.

Se pasaron el balón triangulando. Al primer toque.

Y en la frontal del área, el propio Romeo remató con un disparo fuerte y colocado.

Había sido la mejor jugada que habían hecho en todo el partido.

Quizá era verdad que lo único que querían era jugar al fútbol.

El balón salió disparado hacia la portería...

Camuñas se lanzó y lo despejó por muy poco.

Hizo un paradón.

Lo que ocurrió durante los siguientes minutos fue, más o menos, una repetición de esa jugada.

Ellos atacaban.

Tocaban el balón.

Se lo pasaban.

Disparaban a portería.

Y casi metían gol.

No lo consiguieron por muy poco.

Nosotros tardamos bastante en reaccionar.

Nos costaba encontrar nuestro juego.

Pero, desde luego, no nos íbamos a rendir.

En las gradas, los aficionados de uno y otro equipo aplaudían y lanzaban gritos de apoyo, sin ofender a nadie.

—¡Venga, equipo!

—¡Muy bien!

—¡Así se juega!

De pronto habían desaparecido los malos modos entre los espectadores.

Y en el campo, los jugadores se comportaban con deportividad.

Éramos rivales, pero no enemigos.

Nada de amenazas ni zancadillas ni golpetazos.

Como tendría que ser siempre.

Parecía otro partido muy distinto.

—No sabía que jugabais así de bien —le dije a Romeo, aprovechando que el balón había salido fuera.

—Hay muchas cosas que no sabes —me respondió—. Me encanta el fútbol, es lo que más me gusta en el mundo: jugar con mis compañeros.

—A mí también.

—Bueno —dijo, retrocediendo hacia su campo y alejándose—. Tampoco vamos a hacernos ahora amigos, no te pases.

Era muy raro.

¡Romeo estaba empezando a caerme bien!

Qué cosas.

—Solo queda un minuto —gritó Alicia desde el banquillo—. ¡Vamos, chicos!

—Podemos conseguirlo —dijo Helena.

—El empate no nos vale —dijo Toni.

—La copa tiene que ser nuestra —aseguró Rosita.

—Pero es que ahora están jugando mejor ellos —dije—, y no hemos tenido ni una oportunidad, y casi no queda tiempo...

—Pakete —me dijo Helena interrumpiéndome.

—¿Qué?

–Somos los Futbolísimos. Y por mucho que me vaya a la otra punta del mundo, siempre lo seremos.

Moví la cabeza asintiendo.

Helena con hache tenía razón.

Podíamos conseguirlo.

Anita cogió el balón para sacar de banda.

Yo salí disparado, levanté la mano y grité:

–¡Aquí!

Corrí con todas mis fuerzas.

A trompicones.

Anita sacó de banda.

El balón de color naranja voló hacia mí...

¡Y me llegó a los pies!

Di un paso adelante y mi bota se hundió en la nieve.

Costaba muchísimo avanzar.

Los gritos en la grada iban en aumento.

–¡Vamos, corre!

–¡Venga, ánimo!

–¡Adelante, Pakete! ¡Que no se diga!

Al empujar el balón, resbalé y caí de bruces.

Felipe y Alicia gritaron desde el banquillo, desesperados:

—¡Levanta! ¡Tú puedes!

Casi no quedaba tiempo.

Era nuestra última oportunidad.

Miré al marcador.

48 segundos para terminar el partido.

47.

46.

Me puse en pie, dispuesto a conseguirlo.

El número 5 del Cerrillo apareció delante de mí y se lanzó a por el balón con los dos pies por delante.

Por lo que se ve, la tregua se había acabado.

No estaban dispuestos a que llegásemos a su portería en el último instante.

El público gritó:

—¡Oooooooooooooooooooooh!

¡El defensa se había tirado con tanta fuerza que se había quedado clavado en la nieve!

Empujé el balón y seguí adelante.

Podía hacerlo.

Tenía que salvar al equipo.

Otros dos defensas salieron a cerrarme el paso.

—¡Aquí, Pakete!

Helena me pidió el balón desde el otro extremo, desmarcada.

¡ZAS!

Toni me empezó a tirar bolazos de nieve allí en medio y a pedirme que le pasara el balón.

Y ya sabéis lo que ocurrió...

No pude avanzar más.

Ni pasar a Helena.

Ni a Toni.

Uno de los defensas me golpeó el tobillo y caí al suelo, sobre la nieve.

Me pegué un buen golpetazo.

El árbitro llegó de inmediato.

Piiiiiiiiiiiiiiiiiiiiiiiiiiiiii...

¿Pero qué había pitado?

¿Falta?

¿El final del partido?

Se puso a mi lado.

Señaló el lugar donde me habían derribado.

Y exclamó alto y claro:

—¡Falta!

¡Por fin!

¡Ya era hora de que señalara un falta peligrosa contra el Cerrillo!

Enseguida llegó Romeo protestando:

—¡El tiempo se ha acabado!

–Hay que lanzar la falta –dijo el árbitro, muy seguro.

Contó los pasos y marcó dónde debía colocarse la barrera.

En otro momento, estoy seguro de que Romeo y el resto de jugadores del Cerrillo habrían montado una buena tangana.

Se habrían negado a que se tirase la falta.

Y los padres incluso habrían saltado al campo.

Sin embargo, no ocurrió nada de eso.

Romeo y sus compañeros aceptaron la decisión del árbitro y se pusieron en la barrera.

En la grada, todo el mundo se había puesto de pie.

Pero no amenazaban ni insultaban.

Observaban lo que estaba ocurriendo expectantes, nerviosos.

Me fijé en Villarroel. Parecía estar aguantándose las ganas de pegar un par de gritos.

A su lado, Esteban se mordía las uñas.

Gustavo Ferrada, el alcalde, observaba todo atentamente.

Nadie se atrevía a decir nada.

Mi madre y el resto nos miraban sin moverse.

Mi padre y los otros policías ya no vigilaban la grada: se habían girado hacia el partido y ahora estaban pendientes de lo que ocurría en el campo.

Rosita me ayudó a levantarme.

–¿Os encontrás bien? –me preguntó.

–Duele un poco –dije señalando el tobillo–, pero estoy bien.

Helena y Toni también llegaron a mi altura.

—Es la última oportunidad —dijo Helena.

—Si no entra, se acabó todo —añadió Toni.

Calculé las posibilidades de meter gol desde allí.

No eran muchas.

Delante habían puesto una barrera con todos los jugadores del Cerrillo, justo sobre la línea del área.

Su portero les hacía gestos para que se colocaran.

—¡No os mováis ni os apartéis cuando dispare! —ordenó Romeo a sus compañeros.

Era muy difícil marcar desde allí, pero había que intentarlo.

Todos me observaban, dando por hecho que yo iba a tirar la falta.

Yo había hecho la jugada.

A mí me habían golpeado el tobillo.

Y yo tenía derecho a lanzar esa falta decisiva.

Miré a Helena, Rosita y Toni, que estaban a mi lado.

Camuñas, Ocho y Anita estaban un poco más retrasados.

En la banda, Marilyn, Tomeo y Angustias se habían puesto en pie.

El equipo dependía de lo que pasara en esa falta.

No tenía que pensar en mí.

Tenía que hacer lo mejor para el equipo.

Aunque me costó, di un paso adelante...

¡Y le entregué el balón a Toni!

–Siempre te metes conmigo –le dije–. Y me acabas de tirar un bolazo de nieve en mitad del partido. Pero eres el máximo goleador del equipo y el que mejor lanza las faltas. Tírala tú.

Él cogió el balón, sorprendido.

–No me lo esperaba –respondió.

–Más te vale meter un golazo –dije.

TONI COLOCA EL BALÓN NARANJA SOBRE LA NIEVE. RESPIRA HONDO. SABE QUE DE ESE DISPARO DEPENDEN MUCHAS COSAS: EL PARTIDO, EL TORNEO Y EL FUTURO DEL EQUIPO. LA GENTE EN LAS GRADAS Y LOS BANQUILLOS ESTÁ EN COMPLETO SILENCIO, NADIE MUEVE UN MÚSCULO. CASI SE PUEDE ESCUCHAR LA NIEVE CAYENDO.

HELENA, ROSITA Y YO NOS ABRIMOS A LAS BANDAS.

LOS JUGADORES DEL CERRILLO SE APRIETAN EN LA BARRERA. EL PORTERO SE COLOCA JUNTO AL POSTE, ATENTO.

TONI ESTÁ DELANTE DEL BALÓN, PREPARADO PARA TIRAR. PARECE CASI IMPOSIBLE METER GOL DESDE ALLÍ: HAY DEMASIADOS RIVALES DELANTE.

LOS JUGADORES DEL CERRILLO
NO TIENEN TIEMPO DE REACCIONAR.

SIN PENSARLO, APRIETO LOS DIENTES
Y GOLPEO EL BALÓN SEGÚN VIENE.

LA BOLA SALE DISPARADA
HACIA LA PORTERÍA.

El árbitro pitó el final del partido.

Soto Alto, 3 - El Cerrillo, 2.

Helena vino corriendo hacia mí.

–¡Goooooool! ¡Golazoooooooooo!

Se tiró encima.

Yo caí de espaldas.

–¡Menudo golazo! –exclamó ella.

Iba a contestar, pero no pude.

Porque, de inmediato, Rosita también se abalanzó sobre nosotros.

Y Toni.

Y todos los demás.

Según llegaban, se iban tirando encima.

–¡Tomaaaaaa! –gritó Marilyn.

–¡Hemos ganado la copa!

–¡El copón!

–¡Genial! –gritó Angustias acercándose–. ¡A mí esto de revolcarme por la nieve no me va mucho, pero por una vez...!

Y también se lanzó sobre el grupo.

Éramos una auténtica piña.

Yo estaba abajo del todo.

Muy contento.

Aunque, con tantas piernas y brazos y cuerpos encima, casi no podía ni respirar.

–¿Podéis moveros un poco, que me ahogo? –pedí.

Hubo risas y más abrazos y más gritos de celebración.

Mi madre también había saltado al terreno de juego.

Me agarró como si fuera un muñeco y me empezó a dar achuchones y besos delante de todos.

–¡Ayyyyyyyyyyy, mi niño, qué golazo ha metido!

–¡Mamá, por favor! –le pedí, apartándome un poco.

Mientras todos celebraban entusiasmados, me fijé en Romeo y los jugadores del Cerrillo.

Caminaban cabizbajos hacia el banquillo.

Me acerqué a ellos.

–Habéis jugado muy bien –dije.

–¡Bah, hemos perdido! –replicó Romeo.

–Te quiero dar las gracias –insistí–. Habéis sido muy valientes plantando cara a los padres.

–Mira, Pakete... –dijo él–. Es así como te llaman, ¿verdad? Pues escucha, Pakete: no me des las gracias, porque no lo hemos hecho por vosotros. Lo hemos hecho porque estábamos hartos.

–Aun así, gracias.

Él se encogió de hombros.

–Enhorabuena –dijo.

Tuve la sensación de que Romeo era una buena persona, aunque con un padre como Villarroel no lo tenía fácil.

En medio de todo el lío que se había organizado con la victoria, alguien se dirigió a mí.

Era uno de los policías que vigilaban el campo.

Tenía una barba muy poblada y cara de malas pulgas.

Me miró muy serio.

–¿Tú eres Francisco García Casas? –me preguntó.

–¿Eh? Sí, soy yo.

–¿Al que llaman Pakete?

–El mismo.

–Es él –dijo el policía señalándome.

A continuación se acercaron los otros policías.

Todos muy formales y muy serios.

–¿Ha pasado algo? –pregunté.

Pero no me respondieron.

Todos aquellos policías me rodearon en silencio.

Empecé a asustarme un poco, la verdad.

—Mi padre es policía también —dije—. Estaba aquí hace un momento...

—Ya, ya... —me cortó el policía barbudo—. Pero ha pasado algo inesperado. Tu padre se ha tenido que ir y nos ha pedido que te lo digamos nosotros.

Glups.

¿Sería algo relacionado con la venta del campo?

¿Con Simeone?

¿Con la inundación del gimnasio?

—Lo que ha ocurrido —dijo el guardia— es que... A ver cómo te lo digo para que lo entiendas bien...

—¿Me van a detener por algo que he hecho? —pregunté muerto de miedo.

Se miraron entre ellos una vez más.

Y al fin, el policía de la barba exclamó:

—Lo que ha pasado... ¡es que has metido un golazo!

¿¡Qué!?

De repente apareció mi padre detrás de ellos.

Riéndose a carcajada limpia.

—¡Inocenteeeeeeeeeeeeee! —dijo.

Y siguió riéndose.

¡Otra vez había picado!

¡Mi padre no podía evitarlo!

¡Tenía que seguir haciendo inocentadas hasta el último minuto!

—Me he asustado un poco —dije.

—¡Ya lo he visto, ya! ¡Ja, ja, ja, ja, ja, ja, ja, ja, ja!

Entre todos aquellos policías me cogieron en volandas y empezaron a mantearme.

–¡Oé, oé, oé! ¡Pakete ha metido un golazo! ¡Oé, oé, oé!

Nunca pensé que una docena de policías de uniforme me mantearían por meter un gol.

Aquel día estaban pasando muchas cosas inesperadas.

Y aún quedaban unas cuantas.

Nada más terminar el partido, la Cofradía de los Santos Inocentes preparó el trofeo.

Éramos los campeones del torneo.

Así que subimos a la grada delante de todo el mundo.

El alcalde le entregó la copa de oro a Marilyn.

Como capitana del equipo, ella levantó la copa.

Todos los presentes aplaudieron y gritaron.

–¡Bravo!

–¡Os lo merecéis!

–¡Enhorabuena!

–¡Equipazo!

La gente estaba entusiasmada. Hasta vi a Radu, que siempre era tan discreto, aplaudiendo y vitoreando al equipo.

Marilyn pidió silencio. Quería decir algo.

Tenía la copa bien agarrada con las dos manos.

Miró al alcalde.

Después, a Esteban.

Y por último, a Villarroel, que estaba un poco más abajo.

Cuando se hizo el silencio, la capitana dijo:

—Estamos muy contentos de ganar este trofeo. Pero mis compañeros y yo queremos donar la copa de oro al colegio. No sabemos cuánto valdrá, pero quizá podamos pagar una parte de las deudas al banco... y evitar que se venda el campo. No queremos copas ni trofeos; lo único que queremos es que no cierren el campo y que el equipo pueda seguir jugando.

Se acercó a Esteban y le entregó la copa.

—Como director del colegio, te hacemos entrega de esta copa de oro para que tratemos de salvar el campo, por favor. ¡Solo queremos que nos dejen jugar al fútbol!

Las palabras de Marilyn habían sido muy emocionantes, pero nadie aplaudió.

Al contrario: la gente tenía una cara muy rara.

Algunos agacharon la cabeza.

Otros apartaron la mirada.

Incluso los entrenadores estaban paralizados.

Al principio no entendí por qué.

—¿Qué pasa? —preguntó Camuñas.

–No tengo ni idea –dije.

Los diez jugadores estábamos allí en medio, sin saber qué hacer ni qué decir.

–¿Alguien nos va a explicar qué está ocurriendo? –preguntó Helena.

Esteban, sujetando la copa como podía, dio un paso al frente.

–No es sencillo... Creo que ha habido algún tipo de confusión... –empezó a decir–, pero mejor que os lo cuente el alcalde, que es el presidente de la cofradía.

–¿Yo? –preguntó el alcalde, dando un respingo al oír su nombre–. A ver... A mí todo esto... Yo no tengo nada que ver con el campo ni con el colegio ni con nada...

–¡Ya está bien de tonterías! –exclamó alguien.

Todos nos giramos hacia el lugar del que provenía la voz.

Era Villarroel.

–Si nadie quiere decírselo, yo lo explico –dijo–. La única verdad es que esta copa no vale nada. La venden en el almacén de los chinos por cuatro euros. No sé por qué la llaman copa de oro; podrían llamarla copa de hojalata. Si pesa mucho es porque le habrán puesto un ladrillo en la base... Ni lo sé ni me importa. Pero con esto no podéis pagar una parte de la deuda del colegio. Ni podéis pagar nada. Lo sabe todo el mundo... menos vosotros. Hala, ya lo he dicho.

–¿Eso es verdad? –preguntó Marilyn.

–Creo que sí –reconoció Esteban.

–¿Cuatro euros? ¿Eso es todo? –insistió Helena, desconcertada.

–Bueno, a ver –dijo el alcalde–. La cofradía pagó cuatro cincuenta, que el tique lo tengo yo en el ayuntamiento.

–Hay que ver qué bien y qué baratas hacen estas cosas los chinos –murmuró Angustias tocándola.

–Entonces, después de todo lo que hemos hecho, la copa no sirve para nada –dijo Toni.

Era lo que todos estábamos pensando.

–Eso no es cierto –replicó Alicia–. Sirve para demostrar que somos un equipo y que nunca nos rendimos.

–Ya, ya... Pero no podemos evitar que cierren el campo –dije yo, decepcionado.

–¡Exactamente! –dijo Villarroel–. Nadie puede impedir que construya un aparcamiento gigantesco aquí mismo. Es más, vamos a firmar el contrato ahora mismo.

Abrió su enorme abrigo negro y sacó del interior un contrato y un bolígrafo. Se dirigió a Esteban.

–Si no firmas ahora mismo, no hay trato –amenazó Villarroel–. Si no firmas, mañana a primera hora hablaré con el banco para que empiecen con el embargo. En definitiva, si no firmas ahora mismo... será el fin del colegio Soto Alto.

Todas las miradas se posaron en el director del colegio.

Esteban tragó saliva, agobiado.

Dejó la copa en el suelo.

Villarroel empujó la copa sobre la nieve, se agachó y la utilizó para apoyarse. Colocó encima las hojas del contrato y empezó a firmarlas, una por una.

–Esta semana tendremos que ir al notario –dijo mientras iba firmando– y a la gestoría para terminar los trámites. Pero con estas firmas ya queda todo cerrado y bien cerrado. Nunca mejor dicho.

Cuando acabó de firmar, le acercó el bolígrafo a Esteban.

–¡Te toca! –le ordenó.

Pensé que tal vez pasaría algo inesperado.

Que mi padre y el resto de policías detendrían de repente a Villarroel por algún delito.

Que mi madre y Bernardo y todas las madres y los padres del colegio romperían el contrato en mil pedazos y dirían que, si era necesario, ponían ellos el dinero de su bolsillo.

Que una ráfaga de viento repentina se llevaría aquellas hojas.

Que aparecería el Cholo en medio del campo.

Pero no.

Nada de eso ocurrió.

El director del colegio, cabizbajo, agarró el bolígrafo.

Se puso de rodillas.

Se apoyó en la copa.

Y firmó el contrato.

Hoja por hoja.

Una detrás de otra.

Aquello era el fin del campo de fútbol.

Y, posiblemente, del equipo.

El reloj de la cocina marcaba las doce menos cinco de la noche.

Ya solo quedaban unos minutos para que se terminara el Día de los Inocentes.

Yo estaba apoyado en la encimera, mirando las agujas, deseando que se acabara aquel día de una vez por todas.

Mi padre agarró la enorme bolsa del cubo de la basura y la cerró.

A continuación se plantó delante del pastel, que aún estaba allí en medio, y se relamió.

—Cinco minutitos y se acabó mi cumpleaños —dijo—. ¿Alguien quiere otro pedazo de tarta?

Mi madre, que estaba terminando de recoger, le respondió:

–Yo creo que ya hemos comido todos bastante por hoy, incluyéndote a ti, que después te quejas de que no puedes dormir porque has cenado demasiado.

–Pero, mujer, si es un trozo solamente...

–Mejor mañana para desayunar –zanjó mi madre, guardando la tarta en la nevera–. Venga, no seas crío. Y saca la basura, por favor, que luego huele fatal.

–Yo la saco, pero me parece una pena dejar que se ponga dura la tarta... Y las guindas no saben igual de buenas un día después...

–La basura –le cortó mi madre.

–Voyyyyyyy.

Mi padre salió con la bolsa de la basura, rezongando.

–¿Ves algo interesante? –me preguntó mi madre.

–¿Eh?

–Como estás absorto mirando las agujas del reloj sin mover ni un músculo... ¿Se puede saber qué te pasa?

–Nada –dije–. Que es el peor Día de los Inocentes de todos los tiempos.

–¿Y eso?

–Pues no sé si te has dado cuenta –respondí sin apartar la vista del reloj–, pero todo ha sido un desastre. Empezó esta mañana temprano, cuando me dieron un susto de muerte en la cama y encima me perdí el capítulo de *Los piratas fantasmas*. Continuó después con los bolazos de nieve, con la inundación del gimnasio y con el Cholo, que me ha hecho quedar en ridículo delante de todo el mundo. Para colmo, han vendido el campo de fútbol y lo más probable es que el equipo desaparezca. No tenemos dónde entrenar ni dónde jugar los partidos. ¡Ah! Y, de remate, Helena con hache ha decidido que se va a vivir a Argentina, y puede que no la vea nunca más.

–Vaya. Así contado, no parece un buen día –admitió ella.

–Lo único que quiero es que se acabe de una vez –insistí mirando las agujas del reloj.

Las doce menos tres minutos.

–¿Ya es seguro lo de Helena? –me preguntó mi madre.

–Parece que sí –contesté encogiéndome de hombros–. Además, yo mismo la animé a que lo hiciera. Pensé que si echaba tanto de menos a su padre, sería una buena idea.

–Ha sido un gesto muy noble por tu parte.

–Ahora me arrepiento de haberlo dicho. La verdad es que no quiero que se vaya. Pero bueno... Lo que yo quiera, por lo visto, no le importa a nadie.

–A mí me importa mucho.

–Ya, bueno. Pero tú eres mi madre: no cuenta.

No sé por qué dije eso.

Estaba triste. Y enfadado.

No quería contestar así a mi madre.

Sé que estaba preocupada por mí y solo quería ayudarme.

Pero no tenía ganas de seguir hablando.

Seguí con la mirada fija en el reloj.

Las doce menos dos minutos.

Mi hermano pasó por el pasillo con los cascos puestos, tarareando una canción.

–Víctor, a la cama, que ya es hora –le dijo mi madre.

Él ni se inmutó.

–¡A la cama, Víctor! ¡Son casi las doce de la noche! –repitió mi madre subiendo el tono de voz.

–Ahora voy –respondió él sin hacerle ni caso.

–«Ahora» significa «ahora mismo» –insistió ella.

–¿Y el enano por qué está levantado todavía? –preguntó mi hermano.

–Punto número uno: no llames así a tu hermano, ya te lo he dicho más de una vez, y punto número dos: lo que haga Francisco no es cosa tuya.

–Hasta que él no se acueste, yo tampoco –respondió Víctor.

–Yo no me pienso acostar hasta que se acabe el Día de los Inocentes –dije–. Ya casi no queda nada.

–¡Me tenéis harta los dos!

Las doce menos un minuto.

Ya estaba a punto.

Se acabaría aquel día.

Y me olvidaría de bromas, de inocentadas y de todo eso.

En ese preciso instante, se oyeron pasos y voces por el pasillo.

–¡Francisco! ¡Oye! ¿Dónde estás?

Era mi padre, que venía corriendo de la calle.

Entró sofocado en la cocina, como si hubiera visto un espectro.

–¡Ayyyyy, Francisco!

Yo seguí con la mirada fija en el reloj.

–Estoy aquí, papá. No me he movido.

–Tengo que decirte algo muy importante –soltó él.

Parecía muy alterado.

–¿Pero qué pasa, Emilio? –preguntó mi madre, alarmada.

–¿Estás bien, papá? –dijo Víctor.

Mi padre se acercó a mí, muy nervioso.

–Francisco, te prometo que esto es muy gordo... No sé cómo decírtelo... Es... ayyyyyy... es que...

–¡Se acabó! –estallé.

Me puse en pie y señalé el reloj.

–¡Solo queda medio minuto para que se acabe el Día de los Inocentes! ¡Treinta segundos! ¿Y aun así me quieres gastar otra broma? ¿Otra inocentada de las tuyas? Yo creo que ya he tenido bastante por hoy, ¿no te parece?

–Pero es que...

–¿Es que no he picado suficientes veces? –pregunté–. ¿No os habéis reído bastante de mí? ¡Estoy hasta las narices del Día de los Inocentes!

Volví a mirar el reloj.

15.

14.

13.

12.

–Te pongas como te pongas, tengo que decírtelo –insistió mi padre–. Esto es algo muy serio. Escucha atentamente: ahora mismo, en la puerta de casa está... el Cholo Simeone.

¿¡Qué!?

¡Esto sí que era demasiado!

¡Esta vez se había pasado!

¡Después de todo lo que había ocurrido, ahora venía con esas!

Uffffffffffffff...

9.

8.

7.

–Te lo prometo, Francisco –dijo mi padre–. Si no sales, te vas a arrepentir toda tu vida. Está el Cholo. Es verdad.

6.

5.

4.

–Te lo suplico –siguió–. Sal un momento a la calle y lo comprobarás tú mismo. Está ahí, de pie delante de la puerta.

3.

2.

1.

¡Las doce!

¡Se acabó!

Miré a mi padre y respiré con fuerza.

–¿Está Simeone en la puerta de casa? –pregunté, tratando de mantener la calma.

–Sí.

–¿Ahora mismo?

–Sí.

–Si salgo a la calle, ¿no te empezarás a reír y a gritar: «Inocenteeeee»?

–No.

–¿Lo prometes?

–Lo prometo.

–¿Estás cruzando los dedos?

–Que no, que no. Sal un momento, por favor. No vaya a ser que se canse de esperar y se vaya a ir el hombre.

Mi madre y Víctor me miraban perplejos.

Yo creo que ellos tampoco creían a mi padre, pero no se atrevían a decirlo.

–Y si está ahí, ¿por qué no ha entrado contigo? –le pregunté.

–Y yo qué sé –respondió–. Porque es tímido. O porque no le apetece. No tengo ni idea. Solo me ha preguntado si era tu padre y si te podía avisar, por favor.

Ufffffffffffff...

Si salía a la calle y todo era una broma...

No sé lo que haría.

¡Pero nada bueno!

Sin estar convencido, me dirigí a la puerta.

Crucé el pasillo despacio, paso a paso.

Detrás de mí iban mi padre, mi madre y Víctor, por este orden.

Al fondo del pasillo vi la puerta de la calle, entornada.

¿Sería verdad que detrás estaba el Cholo?

¿Allí mismo?

Seguí caminando.

Muy despacio.

Tratando de calmarme.

Creo que nunca había tardado tanto en atravesar aquel pasillo.

Un paso.

Y luego otro.

Y otro más...

Al fin llegué junto a la puerta.

Agarré el pomo.

Sin soltarlo, me di la vuelta.

Y miré a mi padre.

Él me hizo un gesto, animándome a que abriera de una vez.

Pude ver que mi madre y mi hermano estaban tan expectantes como yo.

Me giré.

Y abrí la puerta.

—Buenas noches, pibe.

Casi me desmayo cuando le vi.

Lo voy a decir directamente.

¡El Cholo Simeone estaba en la puerta de mi casa!

Allí mismo.

De pie.

Como si tal cosa.

—Disculpá que me demoré un poco –dijo.

—No pasa nada –respondí–, está bien... ¿¡Eres tú de verdad!?

—Eso parece.

No sabía qué hacer.

Ni cómo comportarme.

Era el Cholo.

Uno de los mejores jugadores y entrenadores de todos los tiempos.

¡Y había venido a verme!

¡A mí!

Entonces se escuchó un sonido y saltó un flash detrás de mí.

Me volví.

Era mi hermano haciendo fotos con el móvil.

—Por favor, nada de tomar fotos, si no es molestia —pidió educadamente el Cholo.

—Claro, señor Simeone —dijo mi madre, y le cogió el teléfono a Víctor—. Perdone, es por la emoción. ¿Quiere usted pasar a tomar algo?

—No, muchas gracias. No tengo mucho tiempo —respondió—. Me gustaría charlar con Francisco un momento, acá en el jardín. Con su permiso, por supuesto.

—Adelante —contestó mi madre—. Nosotros nos quedamos aquí, a lo nuestro.

El Cholo y yo nos alejamos unos metros.

Salimos al jardín.

Hacía bastante frío y no me había puesto el abrigo.

Pero la verdad es que me daba igual.

¡Estaba con Simeone!

¡En el jardín de mi casa!

Todavía no me lo podía creer.

Le miré fijamente.

Era él.

Estaba igual que en la televisión.

Y que en las fotografías.

—Habéis jugado un gran partido —dijo.

—¿Lo has visto?

Asintió.

—Me senté en una esquina de la grada y me tapé con una bufanda y un gorro —respondió—. Había demasiados periodistas. En el mensaje os dije que iría a ver el partido. No dije nada de entrevistas y fotos y esas cosas.

—Tienes razón, perdona —me excusé—. Pero mi madre empezó a avisar a todo el mundo. Y luego yo también pensé que era buena idea, para intentar evitar la venta del campo.

—Normal, ya me ocurrió otras veces. Lo importante es que han jugado ustedes de diez. Como un verdadero equipo. Me quito el sombrero. Enhorabuena, de verdad. Ha sido uno de los mejores partidos que vi en mucho tiempo.

—Muchas gracias.

—Cantidad de jugadores famosos deberían aprender de ustedes. Lo digo en serio. Ha sido una lección de fútbol. De entrega. De juego en equipo.

No sabía qué responder.

Aquello era mucho más de lo que podía imaginar.

No solo estaba hablando con Simeone en persona.

Sino que además le había gustado nuestro partido.

Me di cuenta de que, desde la ventana de mi casa, mi padre, mi madre y mi hermano nos observaban atentamente.

Los tres estaban asomados y no se perdían detalle de la escena.

El Cholo también se dio cuenta y los saludó con la mano.

—Terminamos enseguida —les dijo—. Por favor, no avisen a nadie.

—Desde luego —dijo mi madre.

—No se preocupe por eso —añadió mi padre—. Aquí somos muy discretos.

—¿Me puedes firmar un autógrafo, por favor? —preguntó Víctor.

—Ahora te firmo, antes de irme —respondió Simeone.

Nos alejamos un poco más, hasta el árbol que está justo a la entrada de la verja. Para poder hablar sin que nos escuchara nadie.

—Mirá, tengo que contarte una cosa muy importante —me dijo el Cholo—, pero me tenés que guardar el secreto.

¿Simeone y yo íbamos a tener un secreto?

Aquello se ponía emocionante por momentos.

—Lo prometo —dije muy solemne.

—Está bien, os creo.

Sacó unos papeles de la chaqueta y me los mostró.

—Después de ver el partido, tuve una reunión con una persona. Por eso tardé en venir acá.

—¿Con quién?

—Con ese tipo... Villarroel se llama.

—¿Has estado con Villarroel?

—Sí, mirá: he llegado a un acuerdo con él. No va a construir ningún aparcamiento en el pueblo. Ustedes van a poder seguir usando el campo de fútbol para jugar y para entrenar, igual que hasta ahora.

—¿De verdad?

—Por supuesto, lo pusimos por escrito en un contrato. No me fío de esa clase de personas.

Y me volvió a mostrar los papeles.

—¿¡Has comprado el campo del colegio!? —pregunté—. Pero te habrá costado mucho dinero...

—No hizo falta. Villarroel ha cedido el uso del campo para el Soto Alto por diez años, gratis.

—¿Gratis? ¿Le has convencido sin más?

—Bueno... La verdad es que a cambio he tenido que hacerme una foto.

—¿Una foto? —pregunté sin entender nada.

—Una fotografía para anunciar sus centros comerciales.

—¿Vas a salir anunciando los centros comerciales de Villarroel?

—Es por una buena causa —respondió con una sonrisa de oreja a oreja—. Y he tardado diez minutos, no más, en hacerme la foto.

—Muchísimas gracias, de verdad.

—No hay de qué. Ustedes hoy dieron una verdadera lección de amor por el fútbol. Gracias.

Nos dimos la mano.

Como hacen las personas mayores.

Bajo aquel árbol, me sentí muy bien.

Después de todo, aquel Día de los Inocentes no estaba resultando tan mal.

Vale, lo admito.

Sé lo que había dicho unos minutos antes.

Pero la verdad es que todo depende de cómo se mire: aquel día también habían pasado cosas increíblemente buenas.

Habíamos ganado un partido y un torneo superdifícil contra el líder de la liga, uno de los equipos más duros del campeonato.

Yo había metido un golazo.

Me había hecho amigo de una argentina que jugaba superbién al fútbol, y de un chico que se llamaba Romeo y que a primera vista parecía lo que no era.

Había ayudado a Helena a tomar una de las decisiones más complicadas de su vida.

Y de remate... ¡estaba con el Cholo!

Estrechando su mano.

—Lo único que les pido es que no le digan a nadie mi acuerdo con Villarroel. Será nuestro secreto —dijo—. Cuando vean el anun-

cio, prefiero que la gente piense que es un comercial más. A vos te lo cuento porque sos el que me escribió el mensaje. No quería que pienses que me olvidé de mi promesa.

–Trato hecho.

Simeone era aún más genial de lo que yo imaginaba.

Había salvado nuestro campo y nuestro equipo. Y no quería alardear de ello.

No creo que pudiera olvidar nunca aquel momento.

–Bueno, voy a firmar el autógrafo y a despedirme de la familia y ya me marcho, que es muy tard...

Pero no pudo terminar la frase.

Porque en ese instante, alguien pegó un grito:

–¡Es el Cholo!

–¡Ahí está!

Se encendieron las luces del jardín.

Y las de la casa de enfrente.

Y otras muchas.

Y empezó a salir la gente de las casas cercanas.

–¡Es Simeone en persona!

Mi padre se asomó por la puerta, avergonzado.

–Perdón, perdón –dijo–. Creo que ha sido por mi culpa... Es que no me aclaro con esto de Twitter y he puesto una foto y un comentario diciendo que estabas aquí...

–¿Pero por qué has hecho eso, papá?

—Se me ha escapado —se disculpó.

—Mira la que has liado, Emilio —dijo mi madre.

—¡Pero si ha sido idea tuya! —le recriminó él.

—Ya, bueno, pero yo te he dicho que lo pusieras cuando ya se hubiera marchado, no ahora...

Seguía llegando más gente.

Todos se acercaban a nuestra casa con los móviles, grabando y haciendo fotos.

—Oye, si los vecinos graban, yo también —dijo mi hermano, que había recuperado su teléfono y apareció por la puerta de atrás.

Viendo el panorama, el Cholo salió corriendo.

Un coche de color negro le estaba esperando en segunda fila con el motor encendido.

Subió a toda prisa al asiento del copiloto.

En la distancia, me miró y me dijo:

—Seguí luchando por tus sueños, Francisco.

Y cerró la puerta.

Fue la última vez que le vi.

Entre los gritos y los flashes de la gente, el coche salió disparado calle arriba.

Yo me quedé un rato delante del jardín, contemplando cómo la gente corría y trataba de hacer fotos.

—¿Pero era el Cholo o no? —preguntó una señora.

–Yo he visto un pie subiendo al coche –dijo otro vecino.

–A lo mejor es un bulo, como lo del partido de fútbol.

–Si es que no te puedes fiar de Twitter...

Pasara lo que pasara, nunca olvidaría aquello.

La noche en la que conocí al Cholo.

El sonido del despertador retumbó por toda la habitación.

Lo apagué de un golpe y abrí los ojos.

Las siete horas y cuarenta y cinco minutos y diez segundos.

Había cambiado la hora de la alarma.

Gracias al gol que metí en el último partido, el cuarenta y cuatro se había convertido ahora en cuarenta y cinco.

Si tenía suerte, la cifra seguiría subiendo.

Podría meter más goles.

Los Futbolísimos teníamos campo y equipo para rato.

Había pasado una semana exactamente desde el partido contra el Cerrillo.

Siete días.

De nuevo era domingo.

Después de lavarme los dientes, bajé a la cocina.

Desayuné viendo mi serie favorita: *Los piratas fantasmas*.

Ese día no se me escapó el capítulo de estreno.

Cuando acabó, le di un beso a mi madre y me preparé para salir de casa.

–¿Te encuentras bien? –me preguntó.

Ella sabía que era un día difícil para mí.

–Genial –respondí.

–¿Seguro?

–Segurísimo.

Y sin más, salí.

La luz del sol iluminaba la calle.

A pesar de que seguíamos en Navidad, hacía una mañana radiante.

Ya no quedaba ni rastro de la nieve.

Subí en mi bicicleta y pedaleé calle abajo.

Crucé la urbanización sin detenerme.

Llegué hasta la puerta de una casa que conocía muy bien.

Allí había un taxi parado.

El conductor estaba subiendo un montón de bolsas de viaje al maletero.

–Tené cuidado, nene. Son valijas muy importantes –le dijo una niña pelirroja que salió de la casa con el abrigo puesto.

Por supuesto, era Rosita.

–Hola, Pakete –me dijo–. ¿Venís al aeropuerto con nosotros?

–No puedo, tengo entrenamiento. Además, no me gustan mucho las despedidas...

–No te preocupes. El año que viene, por Navidad, regresaré... y podremos jugar a las tinieblas otra vez –dijo sonriendo.

Y me guiñó un ojo.

No sé por qué lo hizo.

Yo no tenía ninguna intención de volver a jugar a las tinieblas con ella.

Pero bueno, para eso quedaba mucho.

Rosita se acercó al maletero a colocar su bolsa.

–La valija rosa encima de las otras –le indicó al taxista.

Por la puerta apareció Bernardo, que arrastraba un maletón enorme.

Y a su lado, Helena con hache.

Ella también llevaba una maleta.

–¡Hombre, Pakete, qué alegría verte! –exclamó Bernardo.

–He venido a decir adiós –dije.

–Claro, hombre –respondió él–. Has hecho muy bien. ¿Quieres venir al aeropuerto con nosotros? Marimar nos va a acompañar y luego te puede traer de vuelta...

–No, gracias –contesté–. En un rato tenemos entrenamiento.

Helena me miró sin decir nada.

—Ah, fenomenal —siguió Bernardo—. Por supuesto, el entrenamiento es muy importante.

Miré a aquel hombre tan grande, con su maletón, mientras se tocaba el bigote. Parecía muy feliz. Supongo que era normal: su hija se iba a vivir con él.

Aunque había una cosa que todavía no tenía clara.

—¿Te puedo hacer una pregunta? —le dije.

—Lo que tú quieras.

—Es que... Bueno, lo que pasó en el gimnasio con la inundación... —solté—. ¿Nos encerraste tú para después salvarnos y parecer un héroe?

Bernardo me miró sorprendido. No se lo esperaba.

Cruzó una mirada con Helena y luego se acercó a mí.

–Esto que quede entre nosotros, por favor te lo pido –respondió–. A veces se hacen tonterías para intentar impresionar a una hija. Me arrepiento de muchas cosas. Pero nadie es perfecto.

Era una confesión en toda regla.

–¿Y las ardillas? –insistí–. ¿Cómo se te ocurrió una cosa así?

–No, no... Lo de las ardillas no tuvo nada que ver conmigo –aseguró–. Aparecieron de pronto y se metieron por la ventana. De tuberías y puertas sé un poco, pero de ardillas no tengo ni idea...

–¡Bernardo, que se te olvida la bolsa con los regalos! –exclamó Marimar, que se asomó por la puerta de la casa–. Qué cabeza. Luego dices de mí...

–Ahí va, es verdad –dijo él, y se dirigió hacia la puerta.

Helena y yo nos quedamos solos.

Fuimos caminando hacia el taxi.

Rosita ya se había subido.

El taxista le cogió la maleta a Helena.

Ella y yo nos miramos.

–¿No vas a decir nada? –le pregunté.

–Estoy un poco triste –dijo–, y contenta al mismo tiempo.

–Normal. Te vas a vivir con tu padre a un país nuevo. Yo, en tu lugar, estaría muy nervioso.

Según lo dije, me di cuenta de que no sabía cuándo volvería a verla.

A lo mejor pasaba mucho tiempo.

Tal vez un año, o incluso más.

–Prométeme que no te vas a olvidar de mí –dijo.

–Lo prometo –respondí.

Era imposible que me olvidara de Helena con hache.

–Podemos hablar por Skype todas las semanas, y así será como si estuviéramos juntos –dijo–. Y te mandaré mensajes. Y te contaré todo lo que pase en ese colegio nuevo. Y tú me tienes que mantener informada del equipo y de los partidos. Supongo que ahora tendréis que hacer algún fichaje nuevo...

–Claro, te contaré todo. Será como si no te hubieras ido.

–Exacto. Será como si siguiera aquí.

Los dos sabíamos que no era verdad.

Por mucho que nos escribiéramos y que nos mandásemos mensajes, Helena estaría muy lejos.

–Te voy a echar muchísimo de menos –dije.

–Yo más –respondió ella.

Nos quedamos mirándonos en silencio.

–Bueno, nada de tristezas, que todo esto del viaje es muy emocionante –dijo Marimar, pasando a nuestro lado–. Pakete, ¿no quieres venir al aeropuerto con nosotros?

Era la tercera persona que me lo preguntaba.

Lo que de verdad quería era que Helena no se fuera.

Pero eso no lo iba a decir.

No quería ponérselo más difícil a mi amiga.

–No puedo. Muchas gracias –contesté.

–Bueno, pues ha llegado la hora –dijo Bernardo.

El taxista cerró el maletero y todos fueron subiendo al coche.

La última en hacerlo fue Helena.

Se quedó un momento de pie, junto a la puerta de atrás.

–Muchas gracias por ayudarme –dijo–. De verdad.

–Yo no he hecho nada. Me alegro muchísimo por ti. Va a salir todo genial, ya lo verás.

–Te escribiré todos los días –aseguró.

–Y yo.

Creo que podríamos habernos quedado allí toda la mañana.

Los dos paralizados.

Ella, incapaz de subir al taxi.

Y yo, sin saber qué más hacer ni decir.

–Adiós –dijo.

–Adiós –dije yo.

Entonces, cuando estaba a punto de subir al coche...

Helena vino corriendo hacia mí...

¡Y me dio un beso!

En los labios.

Fue un beso muy rápido.

Yo sentí que me subía el calor por todo el cuerpo.

Recordé la primera vez que me dio un beso, en el campo de fútbol por la noche.

La miré fijamente.

No había nada más que decir.

Ella era Helena con hache.

Y yo, Pakete.

Y siempre estaríamos unidos.

Aunque viviéramos a más de diez mil kilómetros de distancia.

Helena subió al taxi con su familia y cerró la puerta.

El coche se puso en marcha.

Yo subí rápidamente a mi bicicleta.

Vi que Helena y Rosita me miraban a través del cristal trasero, desde el interior del automóvil.

Seguí al taxi por la calle, subido a mi bici.

En ese momento apareció alguien más.

De una esquina surgieron un grupo de niños y niñas en sus bicicletas.

Camuñas, Tomeo, Marilyn, Toni, Ocho, Anita y Angustias.

Allí estábamos.

Los Futbolísimos.

Pedaleando juntos.

Llegaron a mi altura.

Y seguimos al coche durante un buen rato.

Hasta que poco a poco se fue perdiendo entre las calles.

Y dejé de ver el rostro de Rosita.

Y de Helena con hache.

El taxi se fue convirtiendo en un punto lejano...

Al final, desapareció de nuestra vista.

Aun así, nosotros no dejamos de pedalear.

Seguimos adelante.

Era como si quisiéramos ir hasta Argentina subidos en nuestras bicicletas.

Ya sé que es una tontería, pero es lo que sentí.

Al salir de la urbanización, me fijé en que habían colocado una nueva valla publicitaria junto a la carretera.

Era un anuncio del Centro Comercial Villarroel.

Se veía una foto enorme de las tiendas iluminadas.

Y en el centro de la fotografía aparecía el Cholo Simeone, sonriendo y levantando el pulgar.

Ver aquella imagen me hizo sentir un poco mejor.

Ese gesto del Cholo era como si estuviera diciendo: «Todo saldrá bien, ya lo verás».

Recordé lo último que me dijo al despedirnos: «Seguí luchando por tus sueños».

Eso era lo que pensaba hacer.

Mi sueño ahora era que los Futbolísimos siguiéramos jugando juntos.

Y que tal vez algún día...

¡Fuéramos todos juntos a Buenos Aires!

Quién sabe.

Tal vez, si lo intentábamos, lo podríamos conseguir.

A veces, los sueños se cumplen.

Me di cuenta de que alguien estaba subiendo a la valla del Cholo por un lateral.

Era... ¡una ardilla!

Y luego, otra.

Y otra más.

Un montón de ardillas subían por la valla y correteaban.

Pensé que aquello era una buena señal.

Seguí pedaleando junto a mis amigos un buen rato.

Era una sensación que me gustaba.

El viento en el rostro.

Y el asfalto bajo las ruedas.

Subido en la bicicleta junto a mis compañeros, tuve un presentimiento.

Iba a ver a Helena con hache mucho antes de lo que me imaginaba.